De rozendief

INEZ VAN DULLEMEN

Anna Bijnsprijs voor Proza 1989

Een hand vol vonken (novellen, 1961)
De honger heeft vele gezichten (roman, eerste druk,
onder de titel *Luizenjournaal*, 1969)
Vroeger is dood (kroniek, 1976)
Oog in oog (reisboek, 1977)
Een ezeldroom (roman, 1977)
De vrouw met de vogelkop (roman, 1979)
Eeuwig dag, eeuwig nacht (reisboek, 1981)
Een zwarte hand op mijn borst. Bericht uit Kenya (1983)
Na de orkaan (verhalen, 1983)
Het gevorkte beest (roman, 1986)
¡Viva Mexico! Een kroniek (1988)
Huis van IJs. Reisimpressies uit India en Nepal (1988)
Een kamer op de Himalaya (verhalen, 1991)
Het land van rood en zwart (roman, 1993)

Inez van Dullemen *De rozendief*

AMSTERDAM

EM. QUERIDO'S UITGEVERIJ BV

1998

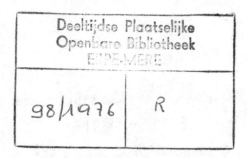
ISBN 90 214 6061 0 / NUGI 300

Voor Willem Schenk,
de bron van mijn inspiratie

In het holst van de nacht trekt hij zijn verfkiel aan. In de schuur achter zijn keuken staat een kinderbad van bruin plastic. Daar gaat hij heen om zijn laatste doek te maken, het doek waar het om gaat, het ultieme doek. Zijn uitgeteerde mannenlijf buigt zich voorover naar de teil en daar giet hij twintig liter terpentine in die hij vervolgens mengt met rode menie en een scheut saffraangele olieverf. Al roerend met een spatel observeert hij het proces nauwlettend: wordt het mengsel dat voor de grondkleur moet dienen niet te bruinig of te oranje? Tussen oude lappen tasten zijn vingers naar het juiste weefsel, zijn vingertoppen vertrouwt hij meer dan zijn ogen. Hij vouwt een stuk van een afgedankt gordijn open en laat dit voor de helft over de rand van het kinderbad in de vloeistof zakken. Wanneer het van vocht verzadigd is, wringt hij het natte deel uit en laat het verfvocht traag van het natte gedeelte naar het droge druipen waardoor er schakeringen in tint ontstaan. Hij luistert naar het tikken van druppels op de vloer. Achter de ruitjes van zijn schuur wordt de nachthemel aangetast door de eerste witte schemer waarmee de dag aanbreekt.

Nu moet de lap tegen de wand van de schuur gespijkerd. Even strekt hij zijn rug, zijn hart bonkt in de benige kooi van zijn borstkas. Hij klopt erop met zijn gelige verfhand: geen kunsten, we zijn aan het werk. Dan gooit hij met een kwast verfspetters tegen het opgehangen doek, zodat zich grotere en kleinere meren van kleur vormen in de vochtige stof.

Met de rug van zijn hand strijkt hij over het halfverteerde weefsel, overwegend om vlieseline tegen de achterkant te hechten om het doek te versterken, of fijnmazig dun gaas over de zwakke plekken te spannen, met het voordeel dat er gelijktijdig minieme oppervlakte-verschillen ontstaan. De terpentine op zijn handen begint te branden, hij heeft geen handschoenen aan.

Andere lappen, variërend van grootte en structuur, vinden hun weg naar het kinderbad om een transformatie te ondergaan: gebloemd damast, een halve moltondeken met rolzoompjes. Hij giet er kobaltblauwe acrylverf bij, kleurbellen vormen zich aan het oppervlak als in een vulkaankrater. Een stuk laken dat hij in het verfmengsel heeft gedompeld, komt opbollend bovendrijven, lijkend op een blaas met paarse aderen van een verdronken dier.

Het komt bovendrijven, denkt hij, een ogenblik uitrustend, geleund op de houten roerspatel. Mijn geluk is altijd komen bovendrijven, ondanks alles...

Dit doek moet ik nog maken. Een afrekening. Een afrekening van wat? Met wie? Of een apotheose? Kan een machteloze oude man, een mier, nog tot zoiets als een apotheose komen? Ik ben geen Picasso.

Dat het ultieme doek nooit vorm wil krijgen, dat het visioen altijd terugwijkt en voor je uit blijft dansen als een dwaallicht, dat is niet eerlijk, dat is niet goed bedacht. De Schepper heeft daar geen last van gehad, maar mij laat hij maar aanmodderen.

~

Sedert mijn hartinfarct een paar jaar geleden ben ik veelvuldiger gaan dromen. Vannacht was het mijn moeder die bij me op de drempel van de deur stond. 'Leef je dan nog?' vroeg ik en voelde meteen wroeging, omdat ik haar blijkbaar al die jaren verwaarloosd had. Ze droeg haar groene moiré japon en er glansden parels rond haar hals. 'Je gezicht is molliger,' zei ik, 'je ziet er goed uit.'

Ze stapte langs mij heen naar binnen en keek speurend rond: 'Ik wil die wandkleden van jou wel eens zien,' zei ze. Ik neem haar bij de hand en loop samen met haar naar Galerie Lierneur in de Zeestraat, waar mijn doeken op een tentoonstelling hangen. Eenmaal binnen blijkt de galerie een kazerne te zijn, een somber verlichte ruimte, waarin soldaten liggen te luieren of te slapen op hun brits. Moeder en ik lopen langs de bedden en tot mijn verontrusting zie ik dat de soldaten niet op stromatrassen liggen, maar op mijn opgerolde wandkleden.

'Nee,' zeg ik als ik ontwaak, 'jij hebt mijn wandkleden nooit gezien. Ik ben nu een oude man, besef je dat? Veel ouder dan jij ooit geworden bent.'

Onder mijn vingers voel ik het zilveren hart dat aan een ketting op mijn borst hangt. 'Hier is je nieuwe hart,' had mijn dochter gezegd, nadat ik op een brancard van de intensive care naar de ziekenzaal was gereden. Een hart voor een nieuw stuk leven.

9

Ik schud de droom van mij af en loop naar mijn postzegelgrote tuin, dat stukje grond ontroofd aan de stad en ingesloten door de achterkanten van Scheveningse vissershuizen. Alles is in orde. Hier staat mijn stoel onder de blauweregen die nooit wil bloeien. Ik pluk verdorde bloemen uit de witte rozenstruik die ik daar geplant heb ter nagedachtenis van haar, mijn moeder. 'Witte rozen, daar hield je altijd van,' zeg ik, alsof ik haar daarmee gunstig wil stemmen en haar komst in mijn droom wil ontzenuwen. Ik houd een geopende roos onder mijn neusgaten om diens frisse ochtendgeur op te snuiven.

'Ik heb jullie allebei gezien,' zeg ik tegen de nu weer vertrouwde schim van mijn moeder. 'Vader zag ik vorige week. Ik ging naar de rommelmarkt in de Herman Costerstraat om te kijken of ik daar iets van mijn gading kon vinden. Ik vond een gietijzeren bloem, die op het hek van een slooppand had gezeten, en even verderop vier gasringen. Die heb ik op een stuk hout gemonteerd. Het zijn een man en een vrouw geworden. Hem noem ik Adam en zij moet Venus worden — ik bedenk me dat ik fijn koperdraad moet zien te vinden om haar hoofd en geslacht mee te versieren.

Ik loop daar tussen de marktkraampjes en plotseling, achter een afgedankt fornuis, zie ik hem. HEM, zoals hij altijd in vol ornaat, met de Italiaanse zee op de achtergrond, in zijn gouden lijst met krullen bij ons in de Tomatenstraat hing. Dat portret, herinner je je nog? dat hij in Livorno liet schilderen — maar nee, dat was na jouw dood.

Vanaf de dag dat we daarheen verhuisd waren, hing hij aan de wand van onze woonkamer en keek hij op ons neer met zijn ijsblauwe ogen alsof hij, zelfs nadat hij allang dood en begraven was, al ons doen en laten onverminderd in de gaten hield. Hij staat er vereeuwigd in zijn kapiteinsuniform met zijn goud gestreepte epauletten en het goudgalon op zijn pet: Kapitein Schenk. De vergulde sierlijst is hij bij zijn omzwervingen kwijtgeraakt, kennelijk is die als waardevol apart verkocht, maar ook ontdaan van die pompeuze omlijsting keek hij me vorsend aan, zoals hij vroeger zo vaak gedaan had als hij mij ter verantwoording wilde roepen, mij, de zigeuner, zoals hij mij noemde. Geen van ons vijven heeft zijn portret willen hebben toen het huis in de Tomatenstraat werd opgedoekt. We hebben hem op de veiling gedaan en nu ligt hij hier voor een habbekrats te koop.

De marktventer liet de prijs zakken tot de som van twee tientjes. Een laatste keer liet ik mijn blik over zijn zelfverzekerd hoofd, zijn getrimde snor, zijn robuuste lijf gaan, haalde mijn schouders op en zei tegen de koopman: 'Wat moet ik met het portret van een onbekende zeeman.'

Ik ben vijf jaar. Ik ben mijn moeders lievelingskind, de benjamin. Wanneer zij op donderdag *jour* houdt, zit ik aan haar zijde voor de kaptafel om naar de voorbereidingen te kijken die zij nodig acht om zo dadelijk het middelpunt van de vrouwenschaar te kunnen zijn. Omdat de zijspiegels van de kaptafel naar binnen kunnen draaien, worden onze hoofden drievoudig in het spiegelglas weerkaatst. Zij borstelt haar donkere haren met een zilveren borstel en wikkelt ze met een handig gebaar in een streng, die ze achterin haar nek vastzet. Ze klemt de haarspelden tussen haar lippen, terwijl haar blik het spiegelbeeld vasthoudt om het resultaat te controleren. In de zijspiegel zie ik mijn eigen hoofd boven de kaptafelrand afgetekend tegen mijn moeders boezem, die de plooien van haar kapjasje doet opwippen. Het verbaast me dat ik zo klein ben.

Achter ons gezamenlijk beeld zwaait een tak met gele

herfstbladeren. Het bladgeel bezit een glans van onwerkelijkheid, een reflectie uit een geheimzinniger wereld. 'Waar kijk je naar?' vraagt mijn moeder. Ik zie haar blikrichting zich wijzigen: driemaal een glazen moeder en eenmaal een echte die zich naar mij toewendt en waarvan ik de warmte voel op mijn huid.

'Mamma, zul je niet weggaan?'

'Waarom zou ik weggaan? Dommerdje.'

Via het spiegelglas kijk ik naar het roomwit van haar hals, waaromheen zij de ketting met de camee hangt (vader brengt van iedere zeereis een sieraad voor haar mee). Zij opent een van de flonkerende flacons om een drupje mysterieus vocht achter haar oren aan te brengen. 'Ruik maar,' zegt ze en houdt de minuscule opening onder mijn neus, waaruit een geur ontsnapt die mij aan de tropische eilanden van mijn vader doet denken.

De dames op mijn moeders jour lijken op elkaar als zusters. Toch zijn het geen bloedverwanten, hoewel er iets is in de snit van hun japonnen, in hun lach en de kwetsbaarheid van hun oog, dat hen eruit doet zien alsof zij van eenzelfde fabrikaat zijn. Er mag een enkele zeemansvrouw tussen zitten, maar het gros bestaat uit pseudo-zusters van mijn moeder met wie zij als kind in het Doopsgezinde Burgerweeshuis is opgegroeid. Vanaf mijn geboorte hebben ze rond mijn wieg gestaan, als goede feeën, en hebben zij zich mij toegeëigend als een van de kinderen die uit hun gemeenschappelijke schoot van moederloze meisjes is voortgekomen.

Ik doe de ronde langs de neerhangende rokken en hef mijn gezicht op om gekust te worden.

'Willem, wil je een liedje voor ons zingen?'

Moeder schuift een stoof aan en daar klim ik op. Uit volle borst zing ik 'Vader Jacob, vader Jacob, slaapt gij nog?' of

'In 't groene dal, in 't stille dal'. Ik voel me heerlijk te midden van al die aandachtige naar mij toegebogen vrouwengezichten, ik zie de beringde dameshanden applaudisseren bij mijn liedjeszingerij en de trotse gloed in mijn moeders oog.

Kan een man jaloers zijn op een kind? Verandert dat kind, de zoon, in een indringer die op slinkse wijze de vrouwenliefde steelt die uitsluitend hem, de man, toekomt? Neemt het, zo klein als het is, de trekken aan van zijn rivaal, terwijl het gelijktijdig onkwetsbaar is omdat de moeder haar jong verdedigt?

'Dat rotjoch krijgt genoeg aandacht,' zei mijn vader. Daarom onthield hij mij zijn genegenheid.

Iedere keer als hij met zijn zeven plunjezakken na een maandenlange zeereis thuiskwam, zette hij zijn officierspet op het blonde hoofd van Tomas en hing zijn gouden ketting met horloge om diens hals. Een handeling die een terugkerend ritueel vormde, een ritueel van erkenning van de oudste zoon die te zijner tijd het gezag over de familie zou overnemen, een soort manbaarheidsceremonie. Dit patriarchale gebaar in de huiselijke kring bezat niet veel gewicht, toch raakte het mij, het jongere kind, als een teken van afwijzing. Ik voldeed niet aan vaders norm, ik kon mij niet zichtbaar maken in zijn ogen.

Mijn vader en moeder leerden elkaar kennen in het Doopsgezinde Burgerweeshuis. Vader was een van de zonen van de weeshuisouders, mijn grootvader en grootmoeder Schenk. Grootvader was ook zeevarend geweest, maar hij had de overstap van zeilschepen naar stoomboten niet kunnen maken en was failliet gegaan. Zodoende was hij weeshuisvader geworden. Toch waren zijn zonen de een na de ander weer naar zee getrokken en wanneer zij met verlof aan wal kwamen, kozen zij zich een weesmeisje tot vrouw.

Mijn vader was vijfentwintig en Atie, mijn moeder, negentien, toen zij het zeegat uitvoeren om samen over de wereld te zwerven. Zij brachten hun wittebroodsweken door op het Japanse eiland Sjodosjima. Mijn moeder vertelde hoe zij in een palmbladen hut sliepen aan een halvemaanvormige baai van met schelpen besprenkeld zand, waarop lege satétonnen lagen. Er was slechts één herberg die naar dennennaalden geurde en vanwaar je op een gaanderij, gebouwd op hoge palen, uitkeek over zee. Je kon er zitten in bamboestoelen waarover versleten antimakassars hingen, en langs een houten trap stapte je direct in het zand. Achter de baai en de gekrulde golven zag je aftandse, lekkende kustvaarders voorbij stomen onder de zonnige winderige lucht. Ze liepen samen over de aanlegsteiger, waarvan ze de door het zout gebleekte planken onder hun voetzolen voelden doorbuigen, om naar de vogels te kijken, of zij zwierven over het eiland dat granieten rotsen inwisselde voor valleien met olijfboomgaarden, camelia's en tangerines.

'Op dat eiland,' zei mijn vader, 'gaan moeder en ik later wonen als we oud zijn.'

Pas toen mijn moeder zwanger werd, kochten zij een huis aan de wal, een witte villa in Bussum. Als tijdverdrijf gedurende slapeloze nachten dwaal ik soms door mijn geboortehuis, pogend ieder detail uit dat verre verleden terug te roepen.

Ik kom aanlopen over het knerpende grindpad. Het huis met zijn lange ramen rijst voor me op, zo hoog als vaders koopvaardijschip en van een merkwaardig onvergankelijk wit dat iets doorschijnend zonnigs had: een uitvinding van vader, waar hij bijzonder prat op ging. Het hele pand had hij met linnen doen bekleden om dit vervolgens met olieverf wit te laten verven. Hij sprak van 'de huid' van het huis en bracht door die term een briesje zeemansbestaan naar de Bussumse villa. Bovendien bespaarde dit procédé hem de kosten van het driejaarlijkse witten van de muren.

Onder de veranda aan de voorkant zie ik in vergulde letters TOMAS staan. Later kocht mijn vader ook het belendende pand en liet daarop mijn naam WIM aanbrengen (tóch een erkenning van mijn bestaan). Op het terras in de schaduw van een warmgetint zonnescherm zie ik mijn twee oudste zusjes, Trees en Boukje, aan een tuintafeltje zitten met kindereetgerei. Ze bewegen niet, de tijd heeft ze gefixeerd. Wel bewegen doen de roze gebloemde gordijnen in de zomerwind. Ik voel het weefsel van de cretonne onder mijn vingers. Dat hield ik in mijn handen geklemd toen ik tussen de gordijnplooien door naar de begrafenisstoet van mijn moeder gluurde. Maar ik laat die begrafenis voor wat die is en loop via de bijkeuken, waar Greet, ons dienstmeisje, de was staat te mangelen, naar de achtertuin.

Ik ben zeven jaar of daaromtrent. Ik verzamel paardekastanjes die in het gras zijn gevallen onder de koepel van geelverkleurd blad. Daar boor ik gaatjes in met een kurkentrekker. Ik verwond mijn wijsvinger en houd mijn hand in de lucht om gebiologeerd toe te kijken hoe de druppels bloed zwellen tot kralen en naar beneden vallen en op de kastanjebladeren neerspetten. Met omgekrulde tongpunt lik ik het bloed naar binnen. Ik boor en boor opnieuw. De kastanjes rijg ik aan een draad tot een heel lang snoer. Ik maak een mantel. Een mantel van lucht, door kastanjes afgezet. Er is niemand die mij ziet, ik ben alleen in de achtertuin. Ik sla de kastanjemantel om en strik de koordjes rond mijn nek. Ik begin te lopen, te schrijden, heen en weer, en luister naar het getikkel waarmee de kastanjes achter mij aan huppelen. Ik ga zitten en wikkel me in de mantel. Ik voel de warmte. Van de leegte van de mantel.

Ik droomde dat ik een opdracht kreeg. In de verte stond een Chinese pagode en mijn opdrachtgever zei: 'Zet daar een etage bovenop.' Ik zei: 'Dat kan ik niet, dat ding is klaar en hoe kan ik met mijn Hollandse mentaliteit daar iets aan toevoegen?' Maar toen dacht ik aan de Toren van Babel, zoals Pieter Brueghel die geschilderd heeft. Daar stapelen zich ook verdiepingen in verschillende stijlen bovenop elkaar. Dat doen wij, kunstenaars, bovenop elkaars werkstukken verder bouwen.

Het proces komt op gang. Als een alchemist uit oude tijden die naar het procédé zoekt om goud te maken, zoek ik naar de werkzame versmelting tussen verbeelding en materie. Na het roeren en brouwen, het uitwringen van de stof, waardoor er lichtere en donkerder partijen ontstaan, volgt het knippen en vasthechten. Het doek wordt tot leven gewekt.

Ik moet mezelf leegmaken, stilte creëren. Ik zie beelden. Die zou ik nog zien als ik geen ogen meer had.

~

Mijn vader voer op de Almelo, een koopvaardijschip dat tevens twaalf hutten voor passagiers aan boord had. Het schip behoorde aan de KNSM, de Koninklijke Nederlandsche Stoomboot Maatschappij, in de wandel ook wel Roggebroodmaatschappij genoemd vanwege de bar slechte lonen die deze uitbetaalde.

Naarmate mijn vader langduriger van huis was, vervreemdde hij van zijn gezin. Wij, zijn kinderen, moeten voor hem abstracties hebben geleken, momentopnamen in de tijd, want van onze groei en verandering maakte hij nauwelijks iets mee. Kwam hij tenslotte na acht, tien of twaalf maanden afwezigheid thuis, dan moest hij opnieuw greep op ons zien te krijgen, want zijn door de tijd achterhaald beeld paste niet meer op zijn nakomelingen. Beurtelings door strengheid en het uitdelen van gunsten poogde hij ons weer binnen zijn machtscirkel te trekken; het gezag berustte immers bij hem, ook aan boord van dit kleine schip: Villa Tomas.

Aan de eettafel moest ik altijd naast hem zitten, aan zijn rechterhand, in de klaphoek, daar waar de klappen vielen. Vier jaar was ik toen mijn vader zijn reis voor enkele weken uitstelde om mij te 'temmen', zoals de tantes later zeiden. Ik moet een potentaatje zijn geweest en erg aandachtvragerig, ik maakte misbruik van mijn positie als lievelingskind van mijn moeder. Daarom moest dat kind getemd. Ook later zal mijn stiefmoeder Maat zeggen: 'Jouw wil moet gebroken.'

Op menig onverwacht moment zwaaide zijn arm door de lucht om mij bij de kraag te vatten en dan trok hij mij tussen zijn knellende dijen als in een nijptang. 'De wolf wordt gevangen tussen twee ijzeren tangen', luidt het kinderliedje. Tussen ijzeren tangen, zo voelde ik me. Maar wat was ik nog helemaal voor een min wolfje?

Zijn manende wijsvinger opheffend, zei mijn vader: 'Willem, er is een God die alles ziet.'

Ook al was hij zelf op zee, dan nog bezat hij een verlengstuk in die onzichtbare God van hem, die mij in het oog zou houden.

Mijn vader is een verwarrende aanwezigheid in mijn moeders salon waar alles zorgvuldig is neergezet en de dingen een onschuldig en smetteloos aanzien hebben. Zijn gewicht alleen al drukt overvloedigheid uit en zelfs wanneer hij bedaard de krant zit te lezen, lijkt hij uit proportie met de huiselijke omgeving. Zijn zeven plunjezakken vol vuile uniformen, sokken en ondergoed, worden in de bijkeuken door Greet en mijn moeder onderhanden genomen. Veertien dagen lang zal het proces aan de gang blijven van wassen en strijken en de geur die daarbij vrijkomt, een geur van tabak, zweet, jenever, touw en teer, lijkt het hele huis tot in de geringste kieren te doordringen, geleidelijk aan afgezwakt door de tegenaanval van zeep- en stijfsellucht. Mijn hele leven zal ik, wanneer ik in de Scheveningse haven die specifieke lucht ruik van zee, tabak, touw en teer aan mijn vader moeten denken.

Mijn vaders armen en benen zijn groot en sterk, de spieren zijn gevat in vet, zodat de kracht ervan niet zichtbaar wordt. Toch lijkt hij eerder fors dan zwaarlijvig, hij pronkt met zijn lichaam. Vanaf de Almelo stuurt hij een foto van zichzelf naar huis, tronend in een leunstoel in zijn kapiteinshut, de benen wijd uiteen. In het kruis van zijn spannende broek is duidelijk de vorm van zijn geslacht zichtbaar. In een krabbeltje op de achterkant verontschuldigt hij zich voor dat overduidelijk bewijs van manlijkheid: 'Ik weet wel wat moeder erop tegen zal hebben, maar dat hoor ik later wel. Een volgende keer zal ik een boek of wat anders in mijn handen nemen en dat voor mij houden, dan komt alles niet zo scherp uit.'

Met dat logge lichaam kon hij op miraculeuze manier dansen. Dan trok hij lakschoenen aan waarin springveren leken te zitten, zo soepel en ritmisch bewogen zijn voeten over de dansvloer. Hij was een schoenenfetisjist die rijen elegante laarzen en lakschoenen met fluwelen strikken in zijn kleerkast had staan. Later kwamen dergelijke schoenen weer in de mode, samen met slappe vilthoeden. Onlangs zag ik op de tv die beroemde oude film van het danspaar Gene Kelly en Debbie Reynolds *Singin' in the Rain*, en daarin zag ik die lakschoenen terug, dat symbool voor manlijkheid die genoeg lef heeft om lakschoenen te dragen; die het zich kan permitteren.

Een tante zei: 'Lakschoenen, dat is vergulde armoede.' Een opmerking die mij pijnlijk trof, want mijn vaders ambivalente houding ten opzichte van mij kon geen afbreuk doen aan mijn adoratie. Ik wilde hem zien als een held, een bedwinger van cyclonen, altijd op weg naar betoverende archipels, waar kadavers van verdronken zeelieden tussen de koraalriffen bekneld zaten, terwijl hun geest over de eilanden spookte.

Eenmaal weer thuis doorbrak hij de monotonie van ons kinderbestaan door feesten te organiseren, waarbij hij een enorme charme tentoonspreidde. Vrouwen waren gek op hem, allemaal wist hij ze in te palmen, of het nu mijn zure oudtante was, de werkvrouw of het barmeisje in de kroeg. Ook zijn bruusk optreden en zijn stemmingswisselingen voedden mijn gebiologeerdheid. Op een zondag had mijn moeder veel werk van het eten gemaakt, terwijl Greet de tafel extra feestelijk had gedekt. Vader had met smaak gegeten en stak, achteruit leunend, een sigaar op.

'Nu rest óns de afwas,' verzuchtte mijn moeder.

Hierop pakte vader een punt van het tafellaken, liep naar de volgende hoek en zo de hele tafel rond tot hij alle punten in één greep bij elkaar had, tilde de hele bundel met serviesgoed en al op en gooide die door het open raam naar buiten. Nog staat mij het beeld voor ogen hoe mijn moeder en Greet tussen de scherven op het terras naar de vorken en messen zaten te zoeken. Zij was niet eens boos, zij aanbad die man. Hij was echter zo kwaad nog niet of hij bracht de volgende dag een nieuw servies mee.

Tijdens de duur van zijn afwezigheid betaalde moeder nooit iets. Alle rekeningen van de tuinman, kolenboer, kruidenier of fietsenman reeg zij aan twee lange witte korsetveters die aan een koperen roe in de linnenkast hingen. 'De kapitein betaalt bij thuiskomst,' zei zij tegen de schuldeisers.

'Moeten wij niet even samen naar de kast?' vroeg mijn vader steevast nadat het eerste begroetingsritueel geluwd was en dan liepen zij naar de ouderlijke slaapkamer om zich daar af te zonderen. De inspectie van de rekeningen duurde doorgaans zolang dat wij uiteindelijk onze nieuwsgierigheid niet langer de baas konden en op kousenvoeten naar de slaapkamerdeur slopen om door een kier te gluren. Daar zaten ze, hun grote lijven uit model gezakt, verfomfaaid leek het, aaneengesmolten, mijn moeders losgeraakte haar langs haar gezicht, haar rode wangen vochtig. Van tranen? Van kussen? Mijn vaders hoofd lag op haar borst en zij blikte naar hem vanonder neergeslagen oogleden, zoals ze ook wel op ons neerkeek wanneer zij ons in de arm hield. Hoewel toch niet helemaal op dezelfde manier een glimlach, zoals wij nooit gezien hadden, speelde rond haar lippen.

Wanneer zij dood zal zijn en mijn vader weer naar zee moet, zal hij zijn vriend Herman Fritzen, de bloemist, vragen hem een hoeveelheid zaad van haar lievelingsbloemen mee te geven. En die man zocht zaden voor hem uit van violieren, goudsbloemen, ridderspoor en monnikskap.

Ik weet niet hoe het verhaal tot ons is gekomen of wie het aan wie heeft doorverteld en soms heb ik zelfs gedacht dat het alleen in mijn verbeelding moet hebben plaatsgevonden, maar mijn vader moet in Zuid-Amerika zijn gaan passagieren in zijn witte tropenpak en zijn pet met goudgalon op het hoofd, hij dook niet de kroeg in, evenmin ging hij naar de hoeren (tot op dat tijdstip was hij een oppassend man, neem ik aan), nee, hij ging wandelen door de villawijken van rijke Chilenen of Brazilianen. En wanneer hij langs hun exotische tuinen kwam, strooide hij daar terloops de zaden van mijn moeders lievelingsbloemen in uit. In Lima of Santiago bloeien mogelijk nog duizenden planten die mijn vader daar heeft gezaaid als eerbetoon aan zijn dode. Hij heeft haar in bloemen willen vereeuwigen.

Jaren later reageerde een psychiater aan wie ik dit verhaal vertelde met een geestdriftig: 'Wat prachtig! De weduwnaar moest zijn zaad kwijt en heeft dat gesublimeerd.'

Op een ochtend, in de lente van hetzelfde jaar waarin mijn zusje Atie geboren zou worden, belde er een telegrambezorger aan de deur. Ik zag mijn moeders vingers trillen terwijl zij de envelop openscheurde, toen klaarde haar gezicht op en schalde haar stem door het huis: 'Kinderen, ga je spullen pakken, we gaan naar vader!' – *Woensdag de zeventiende komt de Almelo in Hamburg*, luidde het telegram, *als je me wilt zien moet je komen.*

Met de stoomtrein boemelden wij door het eindeloze Duitsland, we dineerden in de restauratiewagon, waarin de glaasjes en kopjes in voortdurende agitatie stonden te trillen en wij schapenvlees en gecondenseerde melk voorgeschoteld kregen, die mij onpasselijk maakten.

Midden op de Elbe lag de Almelo ten anker en er werd een sloep te water gelaten, die door matrozen naar de kade werd geroeid om ons op te halen. Langs de torenhoge scheepswand kwam een touwladder naar beneden zakken, maar omdat de wand een flauwe binnenwaartse bocht maakte, hing die voor een deel in de leegte te zwaaien. Mijn moeder, met een dikke buik van Atie, zette resoluut haar laarsje op het touw (geen touwladder was haar te hoog als het erom ging bij haar geliefde te komen) en klauterde naar boven. Ik zie haar nog heen en weer zwabberen, want er stond een fikse deining, ook onze sloep steigerde op de voortdurend aanzwellende golven. Desniettemin waagden mijn broer en zussen de een na de ander de klim naar boven. Verstijfd in de sloep zittend keek ik toe hoe ze klein als vliegen tegen de Almelo op kropen.

Mijn vader tuurt onder zijn pet vandaan over de reling naar mij, zijn bangerik van een zoon. Hij roept iets wat ik niet versta. Wind en schaamte doen mijn ogen wateren en ik verwacht niet anders dan dat ik gedoemd ben in de sloep achter te blijven. Er verschijnt evenwel een donkere gestalte, die met de behendigheid van een aap naar beneden klautert en naar mij lacht met enorm witte tanden. Een levensgrote neger pakt mij onder zijn arm en zwaait mij mee de lucht in. Met mijn ogen dichtgekneld klamp ik mij aan hem vast en ruik de bekende geur: zweet en teer – animaler dan bij mijn vader, lotion valt er niet te ruiken.

Mijn redder bleek op het schip een manusje-van-alles te zijn. Een van zijn taken bestond uit het poetsen van onze schoenen, een taak waarvan hij zich kweet door flink op het leer te spugen alvorens er een poetsdoek overheen te halen. Hij had opdracht om op ons te passen en ons te vermaken en daartoe had hij diverse trucs in petto. Zo kon hij onder groot misbaar een theelepeltje, waaraan een touwtje was vastgemaakt, inslikken, waarna wij om beurten aan het touwtje mochten trekken totdat het lepeltje uit zijn opengesperde keelgat weer tevoorschijn kwam en over de grote roze lap van zijn tong naar buiten kwam glijden.

Wij voeren mee tot aan Antwerpen. Wij aten in de officiersmess aan de tafel met officieren. Ik zie moeder nog zitten, innig tevreden, in haar donkergroene japon, ze steunde haar kin op haar hand. Mijn vader troonde aan het hoofd van de tafel en zij zat aan zijn rechterzijde.

Het uitvaren van zijn schip was altijd een luisterrijke gebeurtenis, als een lenige reuzenhaai in de macht van mijn vader wendde het koopvaardijschip de smalle kop naar de lichtende horizon. De nostalgische hoornsignalen die het uitstootte, schenen geladen met de hartstochten van de getijden en het verlangen naar vreemde kusten, vermengd met de smartelijke kreet van vaarwel.

Wij, zijn achtergebleven gezin, stonden als een samengedrongen troepje eenden op de kade, starend naar de ten anker liggende vrachtschepen, de lange golfbreker die als een betonnen vinger naar zee wees. Om ons heen gewemel van krijsende meeuwen, hijskranen, leiblauwe daken van vervallen loodsen en naar het noorden een blok nieuwe pakhuizen, omhoogstekend tegen de lucht.

Mijn moeder en haar kapitein. Wat hield die twee-eenheid in? De trots van een autoritaire zeeman verlangde tranen bij het afscheid en die gaf zij hem zonder terughouding, zij was daar royaal mee. Het beste van alles was echter dat die tranen ongeveinsd waren, zij welden op uit een heldere bron. Het moet een zoet en bitter moment zijn geweest wanneer hij haar rijpe lichaam van ingehouden snikken voelde sidderen in zijn armen en haar weerloosheid tot hem doordrong: hij was haar huis, haar stevig ouderwets meubelstuk dat niet viel te verwrikken. Zolang hij er kapitein op was, zou zijn schip niet vergaan, dat gaf zijn kus haar te kennen: ik heb het roer vast in handen, ik kom terug. De vele ogenblikken van vredige fysieke intimiteit culmineerden in zijn omhelzing, in deze laatste omarming lag de bevestiging van hun verbintenis.

Zij besefte dat binnen weinige ogenblikken de sterke vingers, die nu met de hare verstrengeld waren, achter de horizon zouden zijn verdwenen. Dit was hun gezamenlijk patroon van leven, dat zij ooit aanvaard had bij het uitspreken van haar jawoord in de kerk. Daartegen rebelleren kwam haar onwaardig voor.

Mijn moeder stierf aan trombose, kort na de geboorte van Atie, haar vijfde kind. Zij moest van de dokter rustig in bed blijven liggen en daar hield zij zich ook aan. Op een middag, toen wij vrij van school waren, riep ze: 'Kinderen, komen jullie kijken, ik ga de baby voeden.'

Vader was weliswaar aan wal, maar juist die dag naar het KNSM-kantoor in Rotterdam gegaan om vracht voor zijn nieuwe reis te regelen.

We kropen met z'n allen om haar heen in het bed om naar de zuigeling te kijken, die driftig aan haar borst lag te klokken.

Opeens zegt ze: 'Boukje, breng de baby weg,' en geeft die aan mijn oudste zusje. Ze roept: 'O God, mijn benen...' en zinkt achterover in de kussens. Ze wordt wit als was, haar mond blijft verwonderd openstaan. Er komt geen beweging meer in. In dat lichaam. Haar borst hangt ontbloot uit haar nachtpon, er druppelt melk uit de tepel, ik kijk er gefascineerd naar, haar ogen staren als glazen knikkers naar het plafond.

'Mamma is dood,' zegt Trees tenslotte. 'We moeten haar mooi maken.'

Met z'n vieren sleuren wij haar lichaam naar het midden van het bed. Boukje en Trees pakken een borstel en bewerken haar neerhangend haar en maken daarvan twee donkerbruine watervallen tot over haar schouders. Boukjes tong-

26

punt steekt tussen haar lippen vandaan. Ze halen een sprei uit de kast en zeggen tegen Tomas en mij: 'Gaan jullie bloemen zoeken.'

We plukken rozen en violieren, wilde duinroosjes ook erbij en die vlechten we door de mazen van de handgehaakte sprei. Moeder lijkt vredig te slapen onder die rozen- en violierensprei en wij voelen ons niet weinig opgetogen over het resultaat van ons werk.

Tot we vaders voetstappen op de trap horen. De deur zwaait open en daar verschijnt hij in de opening, in een oogwenk tot onbeweeglijkheid bevriezend door wat zijn ogen zien.

'Wat is hier aan de hand?' vraagt hij.

Trees zegt: 'Moeder is dood...'

'We hebben haar mooi gemaakt,' zegt Boukje verontschuldigend.

Binnensmonds vloekend jaagt vader ons de kamer uit, de trappen af naar beneden. Even later horen we geloop over de gang, gesmoorde stemmen, de dokter komt, gevolgd door de dominee. Nu pas word ik bang. De schemering valt in, toch maken we geen licht. Moeder hield van schemer, 's middags tussen vijf en zes in de herfst of het wintertij, dan wilde zij ons bij zich hebben. Dan zat ze stil met haar handen in haar schoot en wij, kinderen, waren ook stil.

Na een eeuwigheid komt vader naar beneden en zegt, terwijl hij ons alle vier in zijn grote armen tegen zijn borst probeert te knellen: 'Moeder is naar de engeltjes gegaan.'

Mij onbekende, in het zwart geklede mensen, kwamen ons huis binnen. Sommigen noemden zich oom of tante en tilden mijn gezicht bij de kin omhoog en zeiden op gedempte toon: 'Kleine stakker.' Greet maakte een berg sandwiches klaar van wittebrood, waarvan zij de korstjes afsneed. De afsnijsels deed zij in een diepe kom en zette die in de kelder. Terwijl al die lijven opeengepakt in onze salon stonden en het geroezemoes de ruimte vulde, sloop ik de keldertrap af naar die kom met wittebroodkorstjes. Ik at ervan. Ik had de kom helemaal voor mij alleen, achter elkaar propte ik de korstjes in mijn mond tot ik niet meer op kon.

Mijn vader bewoog zich houterig tussen de mensenmassa, zijn gezicht zag rood alsof zijn huid plotseling geïrriteerd werd door een uitbrekende uitslag. Het leek of hij zich schaamde voor zijn postuur, zijn doorbloede huid, zijn vlees. Dat vlees zat in een zwart pak geperst, dat hem een maat te klein was, zijn strakke mond suggereerde nog een afschaduwing van de autoriteit die hij gewoonlijk was; dat zeemanslichaam en die nu rooddoorlopen zeemansogen deden misplaatst aan te midden van de hem omstuwende rouwbetuigende of rouwveinzende bezoekers. Die gonsden om hem als zwarte aasvliegen rond een prooi. Wittebroodkorstjes en aasvliegen zijn in mijn brein blijven voortbestaan als de voorboden van een onheil.

In de plooien van het cretonnen gordijn gerold keek ik vanachter het vensterglas naar de merkwaardige stoet die door onze laan was komen aanrijden: hoogwielige rijtuigen, getrokken door paarden die van top tot teen in zwarte gewaden waren gehuld. Zelfs hun ogen waren bedekt door zwarte kleppen alsof men ze had geblinddoekt. Misschien, dacht ik, zijn hun ogen uitgestoken, zodat zij niet kunnen weten wat er om hen heen gebeurt of waar zij naartoe moeten gaan. Terwijl zij voor ons hek stonden te wachten, knikten de paarden voortdurend met hun door blauwzwarte struisvogelveren bekroonde hoofden, ongedurig met hun hoeven over de keien schrapend.

Uit ons huis begonnen nu gestalten naar buiten te stromen als een trage rivier waarop hoge hoeden dobberden en daartussen zag ik de blonde haren van mijn zusjes en Tomas oplichten. Boukje en Trees hielden elkaar bij de hand, mijn broer liep met zijn armen stram langs zijn lichaam aan de zijde van mijn vader. Hij mocht mijn vader begeleiden op diens plechtige reis. Ik moest achterblijven bij Greet en de schuldige zuigeling in de wieg.

Ik perste mijn neus tegen het glas, mijn ogen tranend van inspanning om toch maar een laatste glimp van de stoet te kunnen opvangen. Tot ook het achterste rijtuig rond de bocht van de laan verdween en er niets dan leegte bleef tussen de rijen zwaar bebladerde bomen die op erewacht hadden gestaan.

Greet haalde mij achter de gordijnen vandaan en liet mij mijn neus snuiten, die droop van ellende, omdat ik als enige niet mee had gemogen. Zij ging met me naar de keuken om me een emmer en een kolenschop te geven.

'Kom,' zei ze, 'ga jij eens die smeerboel voor het hek opruimen.'

Vader wilde altijd graag dat wij paardenvijgen verzamelden om daar zijn lei-perzik mee te bemesten, die tegen de zuidmuur van ons huis groeide. De vruchten zouden daardoor groter en zoeter worden, beweerde hij. In mijn donkere bloes en zwarte korte broek, de emmer in mijn hand, liep ik naar de weg en staarde naar de enorme stapels paardenvijgen die de betoverende schepsels voor ons huis hadden gedeponeerd.

HEMELVAART VAN DE GETATOEËERDE. *Je gaat met al je wonden en littekens naar de hemel, maar ook met tatoeages, zelf toegebrachte vertekeningen.*

Ik herinner me de littekens op de witte huid van mijn vaders armen. Als jongen verbeeldde ik mij met masochistisch genot de pijn die deze kerven teweeggebracht moesten hebben en gelijktijdig ervoer ik de romantiek van zijn manlijkheid en het geheim van zijn herinneringen.

Op het wandkleed laat ik een zware man omhoogstijgen met een eivormig kaal hoofd en borsten als androgyne verlepte vleesbloemen, handen hulpeloos in de hoogte. Ik heb vreemdsoortige tekens op zijn lijf aangebracht.

Dat is wat wij ervan gemaakt hebben. We hebben ons lichaam versierd, verminkt, er iets aan toegevoegd.

Na veertien dagen moest mijn vader weer naar zee voor een reis van negen maanden. Hij had een nichtje van tweeëntwintig jaar, de dochter van zijn broer. Zij heette Maat. Enkele dagen na moeders dood kwam zij bij ons. 'Ik zal het huishouden voor je doen,' zei ze tegen mijn vader, 'een jaar lang. Daarna wil ik naar de nonnen.'

Zij zou evenwel haar hele leven bij ons blijven.

De dag voordat zij arriveerde, wenkte Trees mij om me iets te laten zien dat zich als een bobbel onder haar trui aftekende: moeders met paarlemoer ingelegde juwelenkistje, zwaar van de sieraden die vader van elke reis had meegebracht. Zij gaf mij een teken met haar hoofd: kom mee. Tussen de dikke oogleden (van het huilen?) waren haar ogen klein en grauw, haar mond stond verbeten. Op de hielen volgde ik haar naar de achtertuin, waar de bejaarde paardekastanjes hun sombere schaduw over de grond spreidden. Daar groef ze met haar meisjeshanden een gat in de grond. Wanneer zij zich diep vooroverboog, kon ik de knobbeltjes van haar ruggenwervels door haar dunne jurk heen tellen. Ik besefte dat zij mij als getuige had gekozen, maar ze verdroeg niet dat ik haar hielp. Terwijl ze hijgend als een hond in de grond krabde, kronkelde er een pier langs haar vingers. Zij gaf echter geen krimp. Geleidelijk kwamen er grijze boomwortels bloot, lijkend op beenderen die van huid en vlees ontdaan waren. Zij zette het kistje in een wig die door twee wortels werd gevormd en de boom leek zich het kistje toe te eigenen, het te omklemmen. Trees stond op, een veeg aarde was achtergebleven op haar witte voorhoofd. 'Zo,' zei ze. 'Daar blijft Maat van af.'

Er schijnt een kil zomerzonnetje. Ik ben nog nooit op een begraafplaats geweest en kijk verbaasd naar die tuin vol stenen ligbedden tussen bloemen en kruisen. Mijn zusje knijpt me in mijn hand en het is alsof zij een nerveuze vloedgolf naar mij overhevelt. 'Dáár,' zegt zij en wijst naar letters op een grafsteen die ik niet kan ontcijferen; op school ben ik nog niet verder gekomen dan aap, noot, mies. Stuntelig staan we daar met ons boeket bloemen, die Herman Fritzen ons met een plechtig gebaar (zijn gebaar is nog geen routine geworden) in de handen heeft gedrukt. Mijn vader heeft hem order gegeven om iedere zaterdag een bloemstuk voor het graf te maken. 'Na schooltijd komen mijn kinderen dat halen,' heeft hij gezegd.

De bloemblaadjes trillen even in de luchtstroom en kou kruipt langs onze blote benen omhoog, we staan als vastgeworteld alsof de hebberige aarde ook ons wil opslokken. Wat betekent dat rare perkje met die steen en die ijzeren kettingen eromheen? Wat heeft dit te maken met moeder die naar de engelen is gegaan, onze Sneeuwwitje, die wij met bloemen hebben versierd? Ik heb haar niet in dat gat zien verdwijnen, maar Trees knikt met autoriteit: 'Daar ligt ze.'

'Hoe dan?' vraag ik, mezelf stupide voelend.

'In de kist natuurlijk, sufferd.'

'Hoe kan ze dan wegvliegen?'

Trees is elf en bezit kennis van het leven. 'Het lijk is te zwaar,' zegt ze. 'Alleen de ziel kan vliegen.'

Op de steen in het grindperkje legt zij ons boeket neer,

het lijkt of ze een kleine buiging maakt. Met een blik op mijn gezicht verduidelijkt ze: 'Wij hebben toch het kistje met haar sieraden in de grond gestopt? Nou, dit is net zo. Zij zit ook in een kist onder de grond.'

Ik voel mezelf staan als het Tinnen Soldaatje van Hans Andersen, de zon is niet bij machte mij te smelten. Dit rechthoekig lapje grond, waar zij zit opgeborgen in een bijouteriedoosje, vormt een raadsel waar ik geen vat op heb. Sterker nog, het laat mij koud, maakt zelfs de kou, waarin ik me heb voortbewogen sedert zij uit mijn leven verdwenen is, nog een fractie groter. Kou sijpelt de hemel binnen waarin zij geacht wordt tussen de engelen te zitten, een kou van achterdocht: kunnen de woorden van mijn vader juist zijn? Of heeft Trees het misschien bij het verkeerde eind met haar bewering dat moeder in een kist onder de grond zit?

'Jij bent gek,' zeg ik en schop met mijn voet tegen die mallotige paaltjes, waardoor de vastgeklonken ijzeren kettingen opeens beginnen te zwaaien.

Trees trekt me achteruit. 'Jij begrijpt er niks van.'

Als een bok met zijn kop naar voren ram ik Trees haar buik, om me heen maaiend met mijn vuisten. Zij wijkt achteruit en rent tussen de grafstenen en de barokke bloemvazen weg, ik zie haar schouders krampachtig opgetrokken. Huilt ze? Ik volg in haar voetspoor, doodsbenauwd alleen te moeten blijven bij die hebberige aarde en die bijouteriekist waarin mijn moeder opgeborgen zit.

Naderhand verwierf het graf zich een prominente plaats in ons huiselijk leven. Het werd zoiets als een altaar waarheen je wekelijks terugkeerde met de bloemen van Fritzen en waarvan de gang erheen je met bevrediging en een soort sereniteit vervulde. Taak volbracht, kleur geschonken aan die grijze wereld van marmer en graniet. Mensen die graven bezoeken spreken gedempt om de doden niet te wekken en scharrelen met gietertjes en vazen tussen de bloemen. Het kerkhof is een oord buiten de tijd. Ik ben daar onbereikbaar voor het neersabelende ongenoegen van mijn vader of de vlijmende opmerkingen van Maat: vies hondje... Vies hondje zit nu hier, op de een of andere wijze gereinigd, aanvaard door de doden en de fluisterende grafbezoekers die in de mazen van eenzelfde betoverd net bewegen als ik. En onder mijn voeten: de prinses, zij met de lange kastanjebruine lokken en de witte borsten waaraan de zuigeling de laatste melk heeft ontfutseld voordat de prinses koud en stil werd. Haar beeld is evenzeer tegen de tijd bestand als het graniet van haar grafsteen.

Wie zal zeggen of het onder die steen niet rustig en veilig is? Zoals in het bed, waarin ik als benjamin tegen haar aan lag. Ik was haar kleine ridder geweest die linten in haar haar vlocht en haar bespiedde via de kaptafel, nee, niet bespiedde, want zij verborg niets voor mij; ik zag haar witte vrouwen-vlees naar mij teruggekaatst via het schijnsel van een lamp en ik ervoer het als een sacrale handeling, wanneer zij het ambe-ren halssnoer om haar blote hals legde en zich in haar avond-japon naar mij toewendde met een glimlach alsof zij mijn goedkeuring zocht.

Na verloop van tijd werd het graf trivialer en onze gang daarheen een corvee. Uit balorigheid begonnen we krijgertje te spelen te midden van de zerken, of we schommelden op de ijzeren kettingen tussen de paaltjes. Maar toen dit wange-drag Maat ter ore kwam, was het afgelopen en kregen wij vier zondagen huisarrest.

Het graf is er nog altijd, vader ligt nu naast haar. De laat-ste keer dat ik het bezocht was een van de paaltjes omgeval-len en heeft mijn kleinzoon mij geholpen dat weer recht te zetten.

Na mijn moeders dood ben ik een nerveus kind geworden. Ik huilde om alles, om een hard woord, een aanmerking. Ik was gekwetst door haar dood en daarom kwetste mij het minste geringste. Ik veranderde, ik was niet meer het kind dat op de stoof liedjes zong voor moeders vriendinnen op haar jour. Ik was een gefêteerd prinsje geweest, het middelpunt van vertederde bewondering, maar onverhoeds waren mijn vrouwelijke vazallen tezamen met mijn moeder van het toneel verdwenen.

Het eerste jaar was ik 's middags dikwijls te ziek om naar school te gaan en toen mijn vader weer naar zee was vertrokken, ontwikkelde ik de gewoonte om de ouderlijke slaapkamer binnen te sluipen, waar alles onveranderd op zijn plaats stond als in een museum. Op haar kant van het dubbele bed met koperen knoppen, ooit door mijn vader uit Engeland meegenomen, lag haar zonnehoed van stro met bleekblauwe afhangende linten, waarmee zij gewoon was op zomerse dagen in de tuin te zitten achter het theegerei dat op de witte tuintafel stond uitgestald. Verbazingwekkend met welk een hardnekkigheid voorwerpen die aan de doden hebben toebehoord, een gevoelige toets in onze ziel weten te treffen zodat het hele scala aan herinneringen in werking wordt gezet. In haar kast hingen de mij vertrouwde japonnen lijdzaam naast elkaar, erop wachtend door haar vingers te worden aangeraakt en in het daglicht te worden getrokken. In hun plooien schenen zij nog een zweem leven van de dode te hebben bewaard en ze ontvingen mij, terwijl ik tussen hun rokken kroop, met een zijdeachtige streling. Met mijn knieën opgetrokken bleef ik bovenop haar schoenen zitten om het talmend vleugje van haar geur op te snuiven, haar lijflucht, vermengd met die van Sapoderma, haar favoriete, glasachtige ovale zeep.

Toen kleine Atie volwassen was geworden, zou ze op een dag tegen mij zeggen: 'Ik heb zo'n lekkere zeep ontdekt: Sapoderma.' Kon de boreling die zij geweest was, een herinnering aan het allervroegste (en laatste) contact met onze moeder hebben bewaard?

De eerste weken nadat moeder uit ons leven was verdwenen, teisterde Atie ons met woedend zuigelinggekrijs. Wanneer ik in de wieg keek en die bovenmaatse lege mond zag, waarin het roze tongetje trilde tussen de tandeloze kaken, dacht ik ongerust: dat kind moet toch eten...

Ik spaarde een boterham voor haar en legde die onder bereik van de bevende handjes. Als een ekster speurde ik rond naar iets eetbaars, een bloemkoolstronk uit de schillenbak, een halve banaan, een koekje, ontvreemd uit de koektrommel. Wanneer ik dan na verloop van tijd weer in de wieg keek, waren mijn geschenken spoorloos verdwenen, precies zoals de wortel die ik in mijn schoen had gedaan voor het paard van Sinterklaas.

Moeder was gewend mij op tafel te zetten om mijn knoopschoentjes vast te maken; daar gebruikte men in die tijd een ijzeren haakje voor. In mijn overmoed trappelde ik speels met mijn voeten en trof haar in die enorm grote buik, zonder benul te hebben wat daarmee aan de hand was. Zij vertrok haar gezicht van pijn.

Er leek iets te verschuiven in de tijd: ik werd ouder, ik had haar pijn gedaan. Kon mijn onbesuisd getrappel iets in die buik kapot hebben gemaakt en een proces op gang hebben gebracht dat leidde tot haar dood? Over dit vermoeden heb ik nooit met iemand durven praten.

Nadat ik de stille kamer, de slaapkamer waarin niemand slaapt, binnen ben gegaan, ga ik naar haar kant van het bed en sla een hoekje van de sprei terug en kijk naar haar witte kussen, dat er net zo onberoerd uitziet als pas gevallen sneeuw. De stijfsellucht roept het oude gevoel van geborgenheid in mij wakker, zoals toen ik tussen schone lakens lag en moeder mij goeienacht kwam kussen. Op mijn knieën ga ik op het bed zitten en boor mijn hoofd in dat zachte kussen, met mijn handen eromheen geklampt omhels ik moeders schijnbeeld. Even lijkt het of al mijn spieren, mijn gedachten zich ontspannen en ik in slaap zou kunnen vallen, maar nee, dat mag niet gebeuren. Stel dat Maat mij betrapt. Me oprichtend staar ik naar het kuiltje dat mijn hoofd in het kussen heeft achtergelaten: ZIJ is het die zojuist is opgestaan en dat kuiltje heeft achtergelaten. Ze neemt me mee naar de kaptafel en ik ga daar zitten, tegenover de spiegel waarin de colonne flonkerende reukflesjes weerkaatst wordt. Ik beweeg mijn hoofd en kan via de zijspiegel in de tuin kijken. Daar zie ik Greet die de was ophangt en onze tamme Vlaamse gaai die zijn snavel wet aan een boomtak — alles miniatuur en in het spiegelglas scherp omlijnd. De moerbeihouten rand van de spiegel vormt een poort naar een andere wereld en ik kan die wereld binnengaan, net als kleine Alice. Met mijn lippen dicht op het glas maak ik warme wasem, diep uit mijn keelgat. Magische wasem. Alice houdt moeders zilveren haarborstel omhoog en lacht uitnodigend, de zilveren borstel is een toverstok. Wij lopen door een oneindige tunnel, gegraven door meneer Mol. Aan het eind daarvan bevindt zich de spiegelzaal en daarin zit, in het midden, mijn moeder.

De wasem verdampt en er staart mij een kindergezicht aan met vochtige open mond. Gebiologeerd blijf ik kijken naar dat kind dat zojuist is teruggekeerd uit de wereld van kleine Alice. Ik breng het gezicht dichterbij, tuur in de neusgaten, steek mijn tong uit, maak het kleiner door achterover te buigen en ernaar te kijken door mijn oogharen, naar mijn donkere krulhaar. Zigeunerhaar. Ik ben het en ik ben het niet, dat drogbeeld in het glas. Ik druk mijn vingertoppen tegen het koude spiegelglas, ik laat een afdruk achter op de plek waar kleine Alice mij meenam.

Toch hield ik van mijn vader, tot elke prijs wilde ik van hem houden en voortdurend was ik eropuit om zijn goedkeuring te bemachtigen. Maar nog geen dag was hij thuis of ik lag al voor straf zonder eten in bed. Het geringste in mijn gedrag irriteerde hem. En mijn donkere uiterlijk tussen de overige blonde kinderen was voor hem aanleiding te zeggen: 'Dat is geen zoon van mij.'

Ik begon te fantaseren dat ik mogelijk een ondergeschoven kind zou kunnen zijn, een wisselkind of, opwindender nog, het kind van mijn moeder en een geheime minnaar.

Een sympathiek gebaar van de Roggebroodmaatschappij was dat het gezin van de kapitein op de Almelo mee mocht varen naar IJmuiden om hem bij zijn vertrek uitgeleide te doen. Daarvandaan reisden wij per spoor weer huiswaarts naar Villa Tomas. Ik echter werd meer dan eens van dit feestelijk tochtje uitgesloten vanwege vermeend of werkelijk wangedrag: ik zou brutaal geweest zijn, gevloekt hebben of in het rozenperk getrapt.

Achtergebleven in het lege huis, moest ik mij wijden aan het schrijven van een boetvaardige brief en die zo snel mogelijk op de post doen, zodat mijn vader mijn excuses nog in Southampton zou ontvangen vóórdat de Almelo aan de oversteek naar het Panamakanaal begon.

Nadat ik het vrolijke geroezemoes van mijn familieleden

en hun knerpende voetstappen over het tuinpad heb horen wegsterven, valt er een stilte alsof er een andere tijd is aangetreden. Ik verlustig me in mijn ellende en beeld me in dat zij nooit meer zullen terugkeren en ik voor altijd alleen zal blijven alsof er een grimmige betovering op mij is neergedaald. Hoe groot moet mijn vergrijp niet zijn geweest dat ik zo zwaar gestraft moest worden? Ik kan niets bedenken, zo futiel lijken mijn daden in vergelijking tot deze strafmaatregel. Ik leun met mijn hoofd op mijn armen, de werkelijkheid lijkt zich van mij verwijderd te hebben.

Buiten is de dag geschilderd in stralende kleuren, maar ik weet zeker dat ik nooit meer in de tuin zal zitten met de geur van versgemaaid gras in mijn neus. Tegen de heldere hemel lijken zich rondwielende zwarte raderen af te tekenen, die met hun schaduwen het licht bedreigen, ik zie geen toekomst, alleen dit ene eindeloze uur waarin ik gevangenzit.

Ik overweeg uit het raam naar buiten te klimmen en op de fiets te ontsnappen, om het even waarheen. Mijn schrijfpapier blijft leeg en zolang dat leeg blijft zal mijn uitbanning duren.

Het kind zit in een diepe stoel met een papieren kroon op het hoofd onder verjaardagsslingers. OP HET FEEST EN NIET OP HET FEEST.

Op mijn verjaardag was ik altijd zo zenuwachtig dat ik ziek naar bed moest en dan speelde Maat zonder mij met de kinderen die voor mijn partijtje waren uitgenodigd.

Er is spanning voelbaar tussen verwachting en gedode droom.

Isolement van het kind tussen de feestslingers, het lichaam in een te grote stoel, twee bengelende voetjes die nog geen contact maken met de grond. Verdwaalde ogen, als van vissen in een aquarium, die je via hun zijkant aankijken. Het kind heeft een verband om het hoofd met een rode bloedvlek als een merkteken midden op het voorhoofd.

VADER EN ZOON. *Gescalpeerde hoofden tussen bleekgroene banen van linten. Pirandello-figuren. Hoofden als halve manen, doorbloede hersenen. Deze doeken wil ik nooit tentoonstellen. In feite sta ik voor schut op een tentoonstelling, overal ben ik ontkleed aanwezig. Maar gelukkig kunnen de meeste mensen niet goed kijken.*

Kleur verdwijnt en komt terug. Steeds voeg ik meer wit toe, wit in de bal tussen de handen van het kind. Wit van stukjes voedsel op het bordje van DE EENZAME MAALTIJD. *Kindergezicht enigszins Japans. Voor het eerst niet frontaal maar en profile,*

voor driekwart naar de toeschouwer toegewend. Ook op dat ge-
zicht een lichtend sein.

Soms ga ik uit van een vlek. De vlek zoekt zelf een inhoud,
een betekenis. Er is vermenging tussen wat de stof aanbiedt en
wat ik zeggen wil. De dingen ontstaan dikwijls buiten mij om.

Titels dienen zich aan, blijven soms zonder doek.

Op de lagere school speel ik veelvuldig met de meisjes uit mijn klas. Ik heb een cape en die bind ik om mijn middel waardoor deze een rok wordt. Ik ben altijd de koningin.

Of we gaan naar de zolderverdieping van Villa Tomas, mijn privé-domein, waar de erfstukken van mijn familieleden, de aanspoelsels uit het verleden, zich bevinden: hutkoffers vol sjaals, korsetten, antimakassars en nachthemden, borstrokken en uniformen van verdwenen zeelieden, kasten gevuld met kleren van dode of bijna dode familieleden. De paspop van mijn moeder daartussen, gemodelleerd naar haar romp, zonder hoofd. En toen mijn vader bedlegerig werd, strandde hier ook zijn scheepskist, zich huwend aan de paspop om samen met haar in een lucht van mottenballen stil te vergaan. Wij echter trekken de kleren uit de kisten en kasten en blazen de lege omhulsels een restant leven in. We spelen modeshow of voeren een gekostumeerd schouwspel op. Vanzelfsprekend ben ik de hoofdrolspeelster, de zoete Sneeuwwitje en later de bloedstollend mooie Cleopatra.

'De toneelspeler in jou is groot,' heeft Maat eens gezegd. Begreep zij dat mijn zucht naar maskerade, naar travestie, verder ging dan kinderspel? Voorzag zij dat maskers een bepalende rol in mijn leven zouden spelen, dat vermommingen en leugens een deel daarvan zouden gaan uitmaken?

Boukje en een vriendinnetje helpen mij met aankleden. Zij laten de tafzijden japon over mijn hoofd glijden, waarmee mijn moeder met mijn vader naar de operette ging. Hun opgewonden uitroepen doen me mijn aanvankelijke schroom: een jurk van moeder aan te trekken, vergeten. Mijn huid prikt van opwinding. Het vriendinnetje doet mij geborduurde hooggehakte muilen aan de voeten en Boukje gapt lippenstift en oorbellen uit Maats kamer vandaan. Ze stift mijn lippen.

Zij en haar vriendin wurmen ingespannen lange, zwarte handschoenen over mijn handen, omhoog, omhoog tot aan de ellebogen, zodat mijn jongensarmen gecamoufleerd worden en een sierlijk aanzien krijgen. Ik denk niet meer aan mijn moeder, mijn geest schiet in een andere bewustzijns-laag: in deze metamorfose schitter ik, bezit ik macht, ik ben de zwarte fee uit het sprookje.

'Er moet nog iets op je hoofd,' zeggen de meisjes.

Zij kleden me aan alsof ik een pop ben, een pop die meer en meer tot leven komt en zijn eigen bestaan gaat leiden. Ze zetten iets op mijn hoofd: een hoedje van mijn grootmoeder, de weeshuismoeder, dat zij met fluwelen banden onder mijn kin vaststrikken.

Elke voeling met de realiteit heb ik verloren, want onder aanmoedigende kreten van de twee meisjes (sadistische kreten? begrijpt Boukje wat me te wachten staat?) loop ik de trap af naar beneden. Ik sleep met mijn jurk door de gang, mijn borst zwelt van trots, de oorbellen tikken tegen mijn hals in het geheime plekje onder mijn oor. Ik beweeg mijn hoofd om het onbeschrijfelijk intieme gevoel te versterken. Zo voelen zij zich dus, de meisjes, de vrouwen. De oorbellen geven seinen af, morseseinen. Zo loop ik, een punt van de japon optillend met geheven pink, de salon binnen, waar Maat en mijn vader met Atie op schoot met een tante zitten te praten.

Ineens zie ik de ogen van Maat op mij gericht en word ik me bewust van mijn jongenslijf onder mijn moeders tafzijden jurk. Mijn vaders gezicht verbleekt, zijn lippen knellen zich opeen en de tante zet haar lorgnet op en zegt: 'Wie hebben we daar?'

Maat sleurt mij de kamer uit, trekt aan de japon alsof die iets smerigs is. Of ben ik het die smerig is? Ze houdt een theedoek onder de kraan om daarmee ruw mijn lippen schoon te boenen.

Ik moet mijn hoofd buigen opdat zij de sluiting van de japon open kan maken en ik sta daar als op een schavot, wachtend op het zwaard van de beul, de haartjes in mijn nek gaan overeind staan.

'Bah,' zegt ze.

'Wilde je een meisje zijn?' vroeg Anna, nadat ik haar mijn geaardheid had opgebiecht. 'Als het toen gekund had, zou je je dan tot vrouw hebben laten ombouwen?'

'Nee, ik ben altijd blij geweest met mijn mannenlichaam. Als je dat lichaam zo mooi vindt en het je zoveel geluk verschaft, hoe zou je het dan kunnen verminken? Ik zou me nooit laten opereren om van geslacht te veranderen, ik heb het lichaam van een man en daar ben ik trots op.'

Toch had ik tegelijkertijd de gevoelens van een vrouw, ik verlangde naar de overgave aan een man, ik wilde het hem naar de zin maken, hem genot verschaffen.

Ik houd van de diepe mannenstem, de bedorven adem van roken en drinken. Ik heb me elementen van het vrouwenleven toegeëigend, zo voel ik graag een rok rond mijn benen, maar ik zou geen vrouw willen zijn.

Toen ik als jonge tekenleraar aan de Kweekschool op de Mient verbonden was, studeerde het lerarenkorps een musical in voor het jaarlijkse slotfeest. Wij moesten er iets spectaculairs van maken om de schoolkas te spekken. In het geheim bereidde ik mij voor op een solo-optreden. Ik had er mijn zinnen op gezet om Marlene Dietrich te imiteren en haar beroemde lied uit *Der blaue Engel* ten gehore te brengen. Ik had de plaat en een koffergrammofoon weten te bemachtigen en zonderde mij daarmee af om uitentreuren die plaat te draaien, die door zijn geruis en gekras de verleidelijkheid van Marlenes stem voor mij alleen nog maar verhoogde.

Ik kocht hooggehakte pumps, dat uitgelezen symbool van vrouwelijkheid, en oefende daarmee in de afzondering van mijn kamer, wiegend in de heupen en met een sigarettenpijpje tussen mijn languissante vingers. Ik opende mijn lippen, alsof ik ze aanbood voor een kus. Ik zou me geheel transformeren, niemand mocht me herkennen. Ik had een goede stem en mijn bariton gleed moeiteloos over in haar alt. Ik fluisterde de woorden alsof ik die alleen tot haar richtte, de Marlene in mijn binnenste, mijn vrouwelijke tweelingziel: *Ich bin von Kopf bis Fuß auf Liebe eingestellt...*

Ik stiftte mijn lippen zoals de hare en bewonderde mijzelf in de spiegel: Narcissus, die zich over zijn spiegelbeeld buigt. Net als zij kende ik van jongs af de macht over mannen, het spel van verleiden en verwarren. Ik maakte mij haar magnetische aantrekkingskracht eigen.

Bij de toneelkapper liet ik een Dietrich-pruik maken en Trees hielp me met het naaien van een nauwsluitende jurk met splitten, waarvoor wij een opengewerkte sprei gebruikten die wij versierden met zilveren pailletten. Zij leende mij haar bh en die vulde ik op tot de gedroomde vrouwelijke welvingen.

Ik maakte mijn entree op het podium met een zwarte hoge hoed op mijn pruik en daalde de drie traptreetjes af, net zoals Marlene dat had gedaan, de benen als sensuele dieren de een voor de ander plaatsend, en zong:

Die Männer umschwirrn mich
wie Motten das Licht
und wenn sie verbrennen
ja, dafür kann ich nicht...

Ik registreerde de vibraties van verbazing en fascinatie uit de zaal, ik voelde de schijnwerpers op mij gericht en wist niet of ik zelf de mot was die in het licht verbrandde of het licht dat deed verbranden. Het maakte niet uit. Dit was mijn revanche, mijn onzichtbaarheid was opgeheven en ik stond in de schijnwerpers. Ik dronk het applaus in en het bis-bisgeroep, en ik liet me niet bidden, maar trad uit de coulissen te voorschijn om met mijn hooggehakte benen opnieuw de drie treetjes af te dalen, het sigarettenpijpje in de lome, witte hand en zong alsof ik al die motten in de zaal in mijn netten wilde vangen:

Ich bin von Kopf bis Fuß
auf Liebe eingestellt...

Naderhand vroeg ik aan een collega: 'Was ik goed?'

Hij antwoordde: 'Te goed.'

*Alle materiaal brengt iets mee, het is gebruikt, heeft de tint ge-
kregen van het leven dat eroverheen is gegaan. Ik zag rolzoompjes van een dweil en die gingen meespelen in het beeld. Iets zo
triviaals liet zich meenemen in een visioen. Op een dag zag ik
een schilder die zijn kwast afveegde aan een lap. Die lap wilde
ik hebben.*

*Een houten schip, rondgebogen als een noot, en daarop twee
vlaggen die naar elkaar toewaaien. De boot is bemand door een
bisschop met een kruis, een koning, een koningin en een man
die een boompje voor zijn naakte lijf houdt — of groeit dat uit
hem te voorschijn?*

*Op de achterplecht, terzijde van de grote lichamen: het kind
met rode muts op, afzijdig, gewoon op zichzelf, met kleine pit-
ogen die vorsend kijken, doorboren. Meegevoerd op het narren-
schip. Dat ben ik. De gezichten staren mij aan, ogen veel te
klein, monden veel te smal, bijna opgelost, uitgewist. Zijn het
verdwaasden die menen het roer nog in handen te hebben? Op
weg naar veroveringen, glorie, Gods koninkrijk? Is alles zelfportret?*

Turbulentie van gezichten. Spelend kind, verwonderd kind.
*En de pop, de pop gevallen, verstoten, omdat het kind groeit
naar volwassenheid.*
*Als kind werd ik niet gezien. Zijn er daarom zoveel ogen
dicht? Bloedt daarom het verbonden hoofd van het kind? Aller-*

47

lei vormen van verminking, aantasting.
De mond van mijn vader heel dun, gesloten. Geen antwoord.
Die opende zich nooit, zeker niet voor een kus.

Als je de periode waarin mijn moeder nog leefde in kleur zou moeten uitdrukken, zou je die warm havannabruin kunnen noemen. De periode van Maat daarentegen was blauw, helblauw, helder maar koel.

Daar kwam Maat. Tweeëntwintig jaar. Zij stapte met haar koffers uit de trein, terwijl wij gevieren, opgesteld als een erewacht, op het perron stonden. Haar blik monsterde ons, ik sloeg mijn ogen naar de grond toen zij mij haar hand reikte. 'Bang voor me?' zei ze en lachte een iets te uitbundige lach.

Haar gezicht was mooi en haar hals en bovenlijf waren bekoorlijk, maar van het middel naar beneden bolden buitennissig zware heupen, die uitliepen in wanstaltig dikke benen, olifantspoten. Zij leed aan elefantiasis. Dit gebrek trachtte zij aan het oog te onttrekken door lange rokken te dragen, desondanks schaamden wij ons diep wanneer zij aan het schoolhek verscheen om ons op te halen. 'Wij zijn door een neurotica opgevoed,' zou Boukje later zeggen.

Toch zou er zich door haar komst een kleurige metamorfose aan ons voltrekken. Lang voor moeders dood liepen wij, kinderen, altijd in donkere kleren rond alsof we in durende rouw waren gedompeld. Mijn moeder, van jongs af aan met de dood vertrouwd, was als driejarig weeskind bij het Burgerweeshuis afgeleverd omdat haar ouders in een novembernacht bij een storm op zee verdronken waren en geen enkel

familielid zich over haar had willen ontfermen. Op een ver-
bruinde foto staat ze nog, een frêle figuurtje met een vroeg-
wijze blik, gekleed in een zwarte jurk met een schort eroverheen, een pop stijf in de arm, alsof die daar door de foto-
graaf in was gelegd. Vrolijke moderne kleren bevonden zich
buiten haar gezichtskring. Beter niet opvallen, moet moeder
gedacht hebben, wellicht dat Magere Hein je dan over het
hoofd zou zien.

Maar haar eigen dood bracht hier verandering in. Na de
rouwperiode, waarin onze oude kleren nog goed van pas kwamen, verscheen er eensklaps fleurige kledij in ons leven. De
donkere broeken, wollen zwarte kousen, bloeses van saaie
stof ruimden het veld alsof er dooi was ingetreden en de lente haar rechten opeiste. Er daalden, als in een sprookje, lichte
kleren op ons neer; het was in de vroege zomer.

Mijn broer en ik kregen korte kamgaren broeken en shan-
toeng bloeses, geen hoge laarzen meer, maar molières. Nog
kan ik de inwendige vreugde terugroepen waarmee ik in die
lage schoenen over straat liep – ik had ze zolang in de etalage
bewonderd en nu liep ik er zelf mee als een rijkeluiskind,
mijn knieën bloot onder de broek. Ik had kunnen vliegen.
En toen mijn vader van zijn reis naar Chili terugkwam,
bracht hij voor ons allemaal panamahoeden mee en Maat
wond gekleurde linten rond de bol, exact in de tint van onze
bloeses: turkooisblauw of oudroze, en zo bewoog ons flottiel-
je zich wapperend door de Bussumse lanen. Alleen Tomas'
gezicht stond op slecht weer. Hij vond die linten maar niks
en zorgde ervoor de zijne zo snel mogelijk kwijt te raken.

Nadat hij weduwnaar was geworden is vader gaan drinken.
Zijn gezondheid ging achteruit, maar hij was wel zo slim
zich te laten keuren door een obscure dokter op Martinique,

met wie hij bevriend was en die hij waarschijnlijk geld toe-stopte voor een bewijs van goede gezondheid.

Twee jaar voor zijn dood werd de Almelo opgelegd, zoals dat heette, uit de vaart genomen en naar Rusland verkocht. Talloze jaren had hij op dat schip gevaren, hij kende haar luimen en mankementen op een prik, en de bemanning was altijd dezelfde gebleven. Zijn matrozen gingen voor hem door het vuur, werd er verteld, zij vormden een familie en hij was de pater familias. Bij storm en averij waren zij op elkaar aangewezen geweest, elkaars hand, elkaars oog. Hij had hun zielen verzorgd door dagelijks een korte kerkdienst op het dek te houden, en hun lijven door zalf op hun builen te smeren en hun wonden te hechten met draad en naald. Wanneer er guano of katoen in het ruim was gestort en de bemanning stokdoof werd van het opwaaiende stof, spoot hij de oren van zijn varensgezellen uit zodat zij weer horend werden. 'Zulke proppen kwamen eruit,' zei hij en gaf de maat aan door duim en wijsvinger een slordige vijf centime-ter van elkaar te houden.

Nu was het afgelopen. Na zijn laatste reis met de Almelo moest hij door twee neven de trap op geholpen worden en die is hij nooit meer af gekomen. 'Versleten nieren,' zei de huisarts.

Had hij er zich ooit een voorstelling van kunnen maken hoe het moet zijn om in bed dood te gaan? Om twee jaar te liggen wegkwijnen, wegrotten als een creperende krab? Geen gezag meer te hebben, geen macho meer te zijn, maar een deerniswekkende invalide? Hij moet onze afkeer hebben be-speurd wanneer wij de stank van zijn urine roken die uit zijn incontinente blaas sijpelde. Vooral ik had het daar te kwaad mee. Als ik 's nachts moest plassen en de zoldertrap af kwam, hoorde hij mij, hoe omzichtig ik ook mijn voeten neerzette om het kraken van de treden te voorkomen. Dan riep hij: 'Willem, ben je daar?' Badend in het zweet lag hij in het dubbele bed. 'Gooi de spuugbak voor mij leeg.'

Het scheen hem een sadistisch genoegen te doen als ik moest kokhalzen bij het zien van de slijmerige fluimen. 'Je zult nog veel moeten leren in het leven,' zei hij, wanneer ik groen van ellende de schoongespoelde spuugbak weer onder zijn bed schoof.

Ik had de donkere krullen van mijn moeder geërfd, maar hij verordonneerde dat mijn haar elke maand met een tondeuse moest worden gemillimeterd. Ik kon er niet aan wennen en huilde iedere keer weer als die onheilsdag aanbrak. Wat kon de reden zijn dat hij mij zo anders bejegende dan mijn broer en zusjes? Ik was een mooi jongetje. Onlangs kwam er nog een portretje van mij boven water van toen ik acht jaar was. Ik probeerde via zíjn ogen naar dat kindergezicht te kijken, naar die zinnelijk opgewipte bovenlip, de lange wimpers. Mogelijk onderkende hij een eigenaardige aantrekkingskracht die hem naar dit kind toe zoog, een neiging die ogenblikkelijk de pas moest worden afgesneden, hetgeen een krachtsinspanning kostte die in afkeer resulteerde. Leek ik meer op hem dan ogenschijnlijk het geval was? Op zijn verborgen zelf? Tegen de anderen, de blondkoppen met hun open en soms bête smoeltjes, voelde hij zich op natuurlijke manier de vader, de gezagsdrager, maar met die zwarte, die zigeuner, met zijn peilende ogen, had hij de gewaarwording dat hij bij voortduring bekeken en ingeschat werd. Mijn pogingen tot toenadering, mijn hunkering naar genegenheid, kwamen hem wellicht verdacht voor, een gehuicheld spel.

Door iemand gezien worden, dat was wat ik wenste, aandacht krijgen, in welke vorm dan ook en mijn lijf, mijn buitenkant, was het eerste dat die aandacht wist op te wekken, soms willekeurig ergens bij een voorbijganger of de meester op school. Of ik een binnenkant bezat, wist ik niet, en ook niet wat die dan wel moest inhouden. Ik bestond enkel als een klein dier, op zoek naar voedsel om te overleven.

Toch bleef er een voorgevoel in mij rondspoken dat er op een dag iemand zou komen voor wie ik belangrijk zou zijn, een denkbeeld, dat mij mijn groeiend jongenslijf deed rondzwalken als een losgeslagen sloep, die ooit ergens zou aanspoelen.

Ik ben een welp van acht jaar en ik moet een proef afleggen bij de hopman van de padvinderij. Bij hem thuis. Ik kom dat huis binnen, zo'n huis met sombere klimop tegen de muren en ruitjesramen. Vanbinnen ruikt het naar kool. Ik moet op het granieten aanrecht in de keuken klimmen om een raam te zemen. Die man blijft achter mij staan om te kijken hoe ik mij van die taak kwijt. Vervolgens geeft hij mij opdracht om een knoop aan zijn jasje te naaien, maar ik krijg het niet voor elkaar om de draad door het oog van de naald te steken, zo trillen mijn vingers. Voor het eerst licht zijn langgerekt gezicht (zijn bijnaam luidt: de bok) op en zijn oog knipoogt naar mij, hoewel ik niet weet of ik het goed gezien heb. Ik hoor een steunend geluid uit mijn keel komen, terwijl ik de naald door de dikke stof van zijn jasje probeer te drijven. Ik heb geleerd om een lucifer tussen stof en knoop te houden op zo'n manier dat de laatste niet te dicht tegen de stof geklemd wordt. Er moet afstand blijven, zodat je na afloop van het naaien met je draad een dasje rond de aanhechtsels kunt winden. Tenslotte volgt het afhechten.

Drie keer achtereen valt de lucifer tussen mijn vingers vandaan en de laatste maal raapt de hopman die hoofdschuddend zelf van de vloer. Ik voel mijn ogen tranen, ik prik mezelf in de vinger en zuig het bloed eraf, bang dat dit zijn jasje zal besmeuren. 'Hou maar op met dat gemodder,' zegt de hopman. 'Laat maar eens zien of je een ei kunt bakken.'

Hij zet een bankje voor me klaar opdat ik bij het fornuis zal kunnen en tilt mij met zijn hand onder mijn billen omhoog. Zijn gezicht loopt een beetje rood aan en hij zegt 'bravo', nadat ik het ei op de rand van de pan kapot heb getikt en in twee helften heb gedeeld. Twee gelijke helften. 'Ik heb gezien dat je het kunt,' zegt hij.

Het ei eet hij niet op, het zal koud worden, ik moet kokhalzen bij de gedachte aan een koud slijmerig ei, maar hij pakt me op en zet mij tussen zijn knieën, terwijl hij gaat zitten en zijn broek openmaakt. Ik zie een donker haartapijt dat zich naar beneden toe verdicht en daaruit rijst een donkere toren omhoog. 'Doe er wat mee,' gebiedt de hopman.

Als zwarte zeilschepen, die onder de vlag van de Almachtige voeren, kwamen zij het huis binnen zeilen, de ene maand Scholastica, de volgende Emiliana, om mijn vader op zijn ziekbed te verzorgen. Emiliana was een snibbige jonge vrouw, Scholastica was beduidend ouder en milder, beiden waren nonnen afkomstig uit het Rooms-Katholieke Zuster-huis in Utrecht.

Nadat zij 's ochtends mijn vader verschoond hadden, gin-gen zij naar de mis en vervolgens ter biecht, zodat zij zich konden reinigen van de zondige aanblik van een naakt man-nenlichaam. Zij aten bij ons aan tafel en al gauw raakten wij gewend aan de pinguïns, zoals Tomas ze noemde. Nu ke-ken we toch al niet op van een in het zwart gekleed vrouws-persoon, want iedere week verschenen de zusjes Henk en Lam in zwarte Enkhuizer klederdracht met een kanten muts op het hoofd om Greet bij het ruwe werk te helpen. Die twee deinden met nog intrigerender geruis door de gangen dan de nonnen, niet alleen vanwege hun drie paar onder-rokken, maar vooral door de kranten waarmee zij hun pof-mouwen hadden opgevuld om die mooier te laten opbollen. Wanneer zij de vloeren dweilden, kon je de kranten horen kraken.

Mijn vader was levenslang een ijdele man geweest en ook nu nog liet hij zijn mager geworden handen uitvoerig door

55

Scholastica of Emiliana manicuren. Ook zijn vlezige voeten werden door de nonnen vertroeteld. Vol toewijding vijlden zij zijn teennagels glad. Zijn hele leven had hij met dat forse mannenlijf gepronkt en zelfs ten tijde van zijn aftakeling lag hij op zijn hoge bed geëtaleerd als een kerstkalkoen op een gedekte tafel.

Gedurende de eerste maanden van zijn ziekte dreunde zijn stem nog krachtig en wenkte hij ons met imperatieve wijsvinger als hij meende dat wij iets misdaan hadden. Nog altijd maakte hij de vertrouwde gebaren, waarmee hij zijn zeemansverhalen opsierde en waarvan wij zeiden: 'Vader laat zijn gebaar stáán...'

'Jullie vader heeft een vis gevangen, zó groot.' En dan bleven zijn armen geruime tijd onbeweeglijk gespreid, zodat niemand de maat of omvang van de fabelachtige vangst kon misverstaan. Of hij vertelde van tropische nachten: 'De maan is daar zó groot...', daarbij vanaf de grond de hoogte van een kind van zeven jaar aangevend.

In zijn glorietijd had mijn vader vijftig radslagen achter elkaar kunnen maken. Wanneer hij weer naar zee moest, ging hij radslagdraaiend van ons huis naar het station, terwijl wij aan weerszijden met hem mee holden en de tuinman erachteraan sukkelde met de zeven plunjezakken op een handkar.

Zodra zijn koopvaarder het anker had gelicht en de haven van Southampton uit stoomde om aan de oversteek naar het Panamakanaal te beginnen, verwisselde hij, al was het nog zo stormachtig en koud, zijn uniform voor zijn witte tropenuitrusting, zijn hemd met korte mouwen en zijn lakschoenen. In mijn verbeelding zie ik hem altijd in de zon staan.

Werd hij een ander? Legde hij zijn oude huid af om samen met die huid zijn vrouw, zijn kinderen en het burgerlijk fatsoen van Holland af te werpen? Voer er een tropische golfstroom door zijn bloed? Ik kan alleen maar gissen, hem trachten te kennen aan de hand van anekdotes. Méér is niet mogelijk. Niet omdat hij zo gecompliceerd was, eerder omdat hij zichzelf reduceerde tot een legendarische krachtpatser, een verteller van opgesmukte verhalen en, in zijn latere jaren, tot de sombere bullebak in bed.

Ik heb nooit geweten hoe mijn vader over zaken als liefde, vriendschap of geloof gedacht heeft. Mijn gemis bestaat eruit dat ik niet als volwassene met hem van gedachten heb kunnen wisselen, bovendien stierf hij voordat ik zelf over zulke dingen nadacht. Ik heb nooit tegen hem kunnen zeggen: 'Kijk, ik ben je zoon zoals ik geworden ben, ik ben de zoon die je onzeker hebt gemaakt, aan wie je je liefde hebt onthouden.' Jaren later, toen ik mijn psychiater over mijn haatliefdeverhouding ten opzichte van hem vertelde, had ik nog de gewaarwording dat zijn schim door het raam naar binnen keek en hoorde wat ik over hem zei. Mijn lichaam reageerde precies zoals het gereageerd had toen ik nog een kind was: het zweet brak mij uit.

Mijn vader had op de Almelo een fiets waarmee hij van de voor- naar de achtersteven reed en vice versa. Dat kostte hem volgens zijn zeggen een halfuur — wel niet zolang als de halve dag die de kapitein van het Spookschip Refanoet uit het IJslandse sprookje ervoor nodig had om te paard van de ene naar de andere kant te galopperen, maar toch imponerend genoeg. Toen wij zelf een fiets kregen om mee naar school te gaan, telden wij de minuten en zeiden: 'Zo groot is de afstand van de voor- naar de achterplecht van de Almelo.' Mijn fantasieën over mijn vaders schip kregen daardoor mythische proporties en ik raakte gebiologeerd door zeemanstermen en visioenen van verre landen ('daar bloeien de bomen alsof ze in brand staan,' vertelde hij) en de namen van steden: Lima, Santiago, Valparaíso en Buenos Aires, regen zich als een magische ketting aaneen.

In de zee-engte van de straat Magelhaen voer er op een dag een sloep met twee halfnaakte inboorlingen, een man en een vrouw, dicht onder de boeg van de Almelo.

'Het is daar ijzig koud,' zei mijn vader, 'er waaien daar snijdende winden.' En in een opwelling die arme drommels tegen de kou te beschermen, had hij zijn duffelse jas uitgetrokken en die over de reling in de sloep gegooid. 'Voor de vrouw,' verduidelijkte hij.

Verbaasd keek ik naar zijn roodgeaderde ogen ('roodgeaderd door het zout van de zee,' beweerde hij) die vol tranen sprongen. Vanwege die blote Vuurlandse vrouw? vroeg ik me af. Of door de herinnering aan zijn eigen goedheid? Zijn tranen vloeiden gemakkelijker naarmate zijn bedlegerigheid langer duurde.

Als een van de laatsten behoorde hij tot het slag zeekapiteins dat zelf de vracht voor de thuisreis inkocht. Daardoor bleef hij in vreemde landen langere tijd aan wal om lading in te slaan, en kon zich zodoende aan zijn liefhebberij wijden: het kopen van exotische dieren. In zijn rooksalon hield hij papegaaien en kaketoes, afkomstig uit het Amazonewoud, in kooien tegen de wand tussen de patrijspoorten. Soms broedden die daar ook. Geregeld bracht hij aapjes, wasberen en zelfs jonge lama's mee naar huis. Die bleven dan een dag of wat bij ons in de schuur om vervolgens te worden opgehaald door de oppasser van een dierentuin. (Jaren later kom ik in Artis en zie ik op een metalen plaatje onder een kooi: *Schenking Kapitein Th. G. Schenk*. Naam van het dier, plaats van herkomst, zoveel graden westerlengte, zoveel graden noorderbreedte. Urenlang kon hij de gedragingen van die beesten bestuderen en daarover theoretiseren.)

Onderweg naar Chili kwam er eens een albatros aan dek die gewond was.

'Hij kwakte neer,' zei mijn vader, 'viel op zijn zij en gleed ettelijke meters over het gladde dek van het achterschip. Toch moet hij met zijn laatste krachten naar de Almelo zijn gevlogen. Hij had hulp nodig. Toen hij landde, cirkelden zijn metgezellen met groot misbaar om hem heen. Maar zo'n vogel is op de grond volkomen hulpeloos. Even deed hij nog een poging om te bijten, totdat hij begreep dat ik het beste met hem voorhad. Je moet altijd tegen dieren praten, dan worden ze kalm.'

Zijn linkervleugel bleek gebroken en vader spalkte die, onderwijl sussende geluiden makend alsof hij met de klank van zijn stem het dier onder hypnose kon brengen. 'Als kapitein ben je aan boord tegelijk ook medicijnman,' zei hij, niet zonder eigendunk.

De eerste nachten hield hij de vogel bij zich in zijn slaaphut. Een vogel zo groot dat zelfs mijn vader de spanwijdte van de vleugels niet met zijn armen kon aangeven — drieëneenhalf tot vier meter, schatte hij. Een vogel zo wit dat het leek of er op zijn gevederd lijf glinsterende stuifsneeuw was neergedaald. Zijn slagpennen waren zwart als git, zijn ooglid boven het ronde oog lichtgroen en wimperloos, zijn snavel aan de wortel lichtrood gekleurd. 'Zijn gekrijs,' zei mijn vader, 'had iets weg van het gebalk van een ezel.'

Ik beeldde mij in hoe mijn vader en de witte reuzenvogel, gekomen uit domeinen waar de poolwinden heersten, samen bijeen moesten zijn geweest in de kleine slaaphut, in een intimiteit die me intrigeerde en me tegelijkertijd met afgunst vervulde. Op welke manier hadden die twee met elkaar ge-communiceerd? Welke magie had mijn vader op de albatros uitgeoefend? Met scepsis staarde ik naar die zieke sprookjes-verteller in bed.

's Nachts fantaseerde of droomde ik in een waak-slaaptoe-stand hoe de vogel naar mij toe kwam en met zijn snavel door mijn haar woelde, hoe ik zijn hart voelde tikken in zijn warme borst: ik wilde hem bezitten, of wilde hem *zijn*, weg-vliegen naar al dat wonderbaarlijks waarover ik in mijn boe-ken las.

De scheepstimmerman maakte een geïmproviseerd hok voor de albatros en iedere ochtend, als mijn vader het deurtje openmaakte, kwam deze log als een zwaan op hem toe wag-gelen en begroette hem door zijn grote snebbe rechtstandig de lucht in te steken en daarmee zijn kleren te bewerken, zoals albatrossen dat doen bij het verenpak van hun partner wanneer zij elkaar na een langdurige scheiding verwelkomen. Vader strekte zijn plooierige ziekemannennek uit om de loei-ende en knorrende geluiden van de albatros te imiteren.

Uiteindelijk kwam er een eind aan deze idylle. De vogel was genezen en moest zijn vrijheid terug hebben. De reus verhief zich op de wieken en zweefde over het schip met een air alsof hij de beheerder was van alles wat zich onder hem bevond. Toen legde hij de kop in zijn nek, strekte zijn wan-staltige voeten met uitgespreide tenen naar voren om zich opnieuw op het dek te storten. Hij waggelde naar zijn hok en leek dat nauwkeurig te bekijken, schreeuwde alsof het afscheid hem zwaar viel tot hij opeens met triomfantelijk machtsvertoon het luchtruim koos. De matrozen stonden er verbluft omheen.

Gedurende vier achtereenvolgende jaren zou iedere keer, wanneer de Almelo langs de Chileense kust voer, uit het niets de albatros verschijnen om goeiendag te zeggen. Hoe was het mogelijk dat hij het schip herkende? 'Albatrossen bezitten talenten die wij niet hebben,' zei mijn vader. 'Mensen zijn stumperds vergeleken bij de dieren.'

In het tweede jaar dat hij op bed lag verliet de kracht of de lust hem om verhalen te vertellen. Zijn stem werd zwak. De stentorstem, waarmee hij de orde op zijn schip had bewaard.

Daar lag dat lichaam, losgekoppeld van de zee, van de deining, het getij, de onstuimige val van de golven op een zandbank. Het lichaam is aan de grond gelopen en het is dood tij. Zijn bed met de witte lakens heeft nog iets weg van een schip, maar het vaart niet uit, het dobbert zo'n beetje in de lauwe lucht van de ziekenkamer, het doet in de herinnering hier of daar een haven aan. De voorwerpen in de kamer staan stil, geen schommeling is voelbaar, geen ondoorgrondelijk zuigen aan de kiel van het schip.

In die tijd was het dat de zieke man zei: 'Maat, trouw met mij. Dan ben je verzorgd.' Maar zij wees hem af. Zij beschouwde zich als een aristocrate, te goed voor een eenvoudige kapitein bij de koopvaardij.

Er brak een periode aan dat wij ons muisstil door het huis moesten bewegen. Ieder geluid, het openen of dichtslaan van een deur, gebons op de vloer, geluid van een speelgoedtrompetje, geworstel en gelach van kinderen, veroorzaakte bij mijn vader neuralgische hoofdpijnen.

Het oog. Terugkerend motief.

En mensen, verstrengelde mensen, ternauwernood mensen, opgenomen in de achtergrond, fossiele afdrukken van mensen. En wortels, bladeren. Een poging om leven te doorgronden? Een donkere plek om aandacht af te leiden, karmijnrode aderen... een mens in wording? Plant?

Een gekroonde bok hoog op een duistere heuvelkam, uittorenend boven een jongen in een korte tuniek, een knaap nog.

Diabolisch kijkt hij uit zijn schuine ogen. Is hij slachtoffer of triomfator? Dat moet ik nog beslissen. DE ZONDEBOK. *Dierlijk/menselijk. Wetend/onwetend. Een oudtestamentisch gegeven.*

Eens in het jaar werd in Palestina een jonge bok uitgekozen, die tijdens een ritueel alle zonden van de inwoners van de stad op zijn rug kreeg geladen. Vervolgens werd het dier met stenen en geschreeuw de woestijn in gejaagd om daar te creperen met zonden en al. Zo werden de mensen weer schuldeloos en konden zij opnieuw beginnen.

Ik stuur mijn zondebok de woestijn in. Welk nieuws brengt hij ons vandaagdedag? Berichten over een walgelijk gebeuren: de rally Parijs-Dakar. Zandvlakten vol rotzooi, bierblikjes, kapotte champagneflessen, roestige wielen, plastic weggewaaid in de wind, autowrakken uit de weggooi-wereld.

~

Vader lag op bed. Maat had mij de opdracht gegeven om hem tegen half drie twee beschuiten en een beker waterchocola te brengen. 'De beker staat klaar in de keuken,' zei ze. 'Je hoeft er enkel heet water op te schenken.'

Ik zat in de serre te tekenen toen er gebeld werd. Ik doe open en er staat een jonge zeeman op de stoep. 'Is je vader thuis?' vraagt hij.

'Mijn vader is ziek, hij ligt op bed.'

'Ja, dat weet ik.'

Traag wendt hij zijn hoofd om naar mij te glimlachen met een vertrouwelijke dubbelzinnige glimlach.

'Gaat u maar naar boven,' zeg ik. 'Eerste deur links van de trap.'

Met twee tegelijk neemt hij de treden van de trap, opwippend op de tenen, in een ommezien is dat zelfbewuste lenige lijf boven. Ik blijf luisteren naar het geluid van de slaapkamerdeur die zich sluit, de gesmoorde kreet die daarachter opklinkt. Dan wordt het stil. Alleen de pet hangt aan de kapstok. Met het besef iets ongeoorloofds te doen, pak ik schielijk die pet van de haak. En val meteen ten prooi aan de bedwelming van mannenlucht. Met mijn neus volg ik de leren binnenrand en ga de holte van het hoofddeksel binnen, ik snuif een vleug zeelucht op, die een hunkering in mij oproept naar het lot van matrozen, hun zwalken op zee, hun ruwe handen die teer en touw hanteren, hun lotsverbondenheid, hun verdrinkingsdood in kolkende watermassa's...

Klokslag half drie klim ik de trap op met een beker chocola op een serveerblaadje. Met mijn elleboog de deurkruk naar beneden drukkend, plaats ik een voet tussen de deur, behoedzaam, om niet te morsen. Ik kijk op en blijf als aan de grond genageld staan.

De jonge zeeman ligt met epauletten en al bovenop mijn vader, hij heeft zijn armen rond diens nek geslagen, zijn rug schokt en zijn lippen zijn stijf op die van mijn vader gedrukt — een beeld, dat zich als met een etsnaald in mijn ziel heeft gegrift. Zelfs nu nog is het zo vers in mij aanwezig alsof het gisteren is gebeurd.

De kleine jongen die ik was, trekt geruisloos de deur dicht en blijft in de gang staan, terwijl zijn hart bijna uit zijn borstkas springt en het presenteerblaadje trilt tussen zijn handen. Wat kon dit betekenen?

Wie kon het zijn, die mijn vader zo dierbaar was dat hij hem in een omhelzing tegen zijn borst klemde? Tegelijk besefte ik dat ik naar iets had gekeken dat het daglicht niet verdroeg en niet het beeld van mijn vader had mogen vertroebelen. Toch overheerste jaloezie: ik wilde die jonge zeeman zijn, hij nam mijn plaats in en ontroofde mij van de druk van mijn vaders lippen op mijn mond. Anderzijds was ik verliefd op de zeeman. Was ik plaatsvervangend mijn vader?

Hoe vaak is niet in mijn halfslaap het beeld opgedoken van dat mooie jeugdige hoofd met die trage draai, die glimlach waarin iets androgyns, iets pervers school; een beeld dat langzaam vervloeit tot de andere sekse, van man tot vrouw, van meisje weer tot jongeman. Kende mijn vader mannenliefdes op zijn schip? Leken wij meer op elkaar dan iemand had kunnen vermoeden? Ergerde ik hem met mijn meisjes-

achtige neigingen, mijn zwarte krullen, omdat hij in mij dat-
gene aangekondigd zag dat hij van zichzelf afwees als zondig
en onmanlijk?

Ineens ben ik jaren terug. Allemaal wonen ze in mij: het
kind op de stoof dat liedjes zingt voor moeders vriendinnen,
de kleine potentaat, het verwarde kind na de dood van zijn
moeder, de puber verliefd op de buurman, de dienstplichtige
soldaat in de Tweede Wereldoorlog. Ik ben een hele menigte... en er breekt ook weer een hele menigte uit mij los van
dwazen, verliefden, zondebokken. Ik naai ze vast op mijn
wandkleden.

Als een schikgodin heerste Maat over het huis en zijn bewo-
ners. Zo verplichtte zij ons iedere avond naar boven te gaan
om een praatje met de zieke te maken. 'Vertel maar wat,' zei
ze. Wat viel er echter te vertellen aan die man in bed, die
leefde als een vis in een vissenkom? Onze tongen verstomden
in onze monden.

Meestentijds gingen Tomas en ik samen naar boven om
getweeën de confrontatie aan te gaan. Niet dat we bang voor
hem waren. Hij leek in niets meer op de vader die wij op
zijn schip opzochten, die keer nadat wij ons zwemdiploma
hadden gehaald. 'Wij hebben ons zwemdiploma, vader!'
'Laat maar eens zien,' zei hij en had zonder omwegen Tomas
in zijn kraag en bij zijn kruis gegrepen om hem als een veer-
tje overboord te gooien. Voor ik wist wat me overkwam,
volgde ik ook en smakte twaalf meter lager in het havenwa-
ter waarin ratten rondzwommen. Half stikkend ploeterden
wij tussen sinaasappelschillen en lauwe olievlekken naar de
havenkant, terwijl vader van zijn onmetelijke hoogte vanonder zijn pet op ons neerkeek. Vertwijfeld zwommen we rond,
niet wetend hoe aan wal te komen, tot een dokwerker ons

een stenen trapje wees dat zich in de kadewand bevond.

Hij mocht dan weinig meer op zijn voormalige zelf lijken, toch wist je maar nooit wat voor verrassing hij voor je in petto hield. Op een avond wenkte hij ons dichterbij en zei: 'Doe jullie broek naar beneden. Laat vader maar eens zien hoever jullie zijn.'

Tomas liet zijn broek zakken. Ook de onderbroek moest omlaag. Vader pakte Tomas' plasser tussen zijn vingers om er keurend naar te kijken. 'Hoe staat het ermee?' informeerde hij. 'Krijg je hem al omhoog?'

Door een rood waas zag ik de witte vingers van de zieke man rond het roze lid van mijn broer. Ik kreeg moeilijk lucht, het leek of hij, onze vader, alle zuurstof in de kamer had verbruikt. Ik rukte mezelf achteruit, van die bedrand vandaan, weg van die vingers, en hoorde mijn schrille stem zeggen: 'Ik hoop dat je gauw doodgaat.'

Zijn gezicht kleurde purper om vervolgens te verbleken tot de grijsheid van as, hij deed een poging om uit bed te komen met zijn rare oudemannenborsten schommelend onder zijn nachthemd, zijn gezicht opeens afschuwelijk oud. Vanuit mijn ooghoek zag ik de verschrikte Tomas staan met zijn witte billen en zijn broek op zijn schoenen — een bespottelijk plaatje.

Zonder dat zijn ogen mij loslieten, zakte vader terug in de kussens en zei met toonloze stem: 'Wat zei je daar?'

Als ik mijn ogen dichtdoe zie ik dat tafereel nog voor me: die uitgebluste man die zijn blik desondanks als een harpoen in mij vast klauwt, zijn mond een beetje open, de lippen naar binnen gewelkt, de mond van een oude vrouw. We hangen aan elkaar vast, aan elkaars ogen. Hij is de harpoenist. Of ben ik dat? En is hij het gewonde beest? De tijd heeft geen vat op ons. Maar er glijdt kilte in mij binnen, mijn lippen beginnen te beven, niet van angst, maar vanwege die sombere kou die ik niet kan benoemen.

Ik week achteruit en hetzelfde moment griste hij in het wilde weg het waterglas van zijn nachttafel en slingerde dit naar mijn hoofd. Ik ontweek het projectiel dat tegen het paneel van de deur knalde en uiteenspatte in een fontein van scherven, waarvan er een mijn slaap schramde. Zijn vervloeking trof mij als een voltreffer, mij, de zigeuner. Opgezwollen als een donderwolk rees zijn bovenlijf omhoog en wees mij met gebiedende wijsvinger de deur: 'Kom mij nooit meer onder ogen.'

In de gang moest ik even blijven staan, ik voelde een warm stroompje bloed in mijn hals lopen. Toen klauterde ik de zoldertrap op naar mijn bed. Het zou de laatste keer zijn dat ik om hem huilde. Bij zijn dood liet ik geen traan.

Job op de mestvaalt. Daar zat Job, bovenop die berg rotzooi en ik gaf hem een geweldige erectie. 'Is dat per se nodig?' vroeg Anna. Ik haalde die erectie er weer af, maar toen was ook de spanning verdwenen. Die erectie was het antwoord aan de Schepper: kijk, ik ben er nog, ik leef nog... en dat nog wel met het orgaan van menselijke schepping.

Vroeger werkte ik barokker, versierde ik alles met kralen, nepjuwelen, overbodige nonsens. Ook was ik verslingerd aan kleuren als zwart en rood en goud, daar streek ik dan weer met een grove kwast overheen om die flamboyante kleuren af te dempen, daar kreeg het doek iets mysterieus door. Maar de tijd heeft me geleerd steeds meer weg te laten.

Vannacht ben ik aan een nieuw wandkleed begonnen: ZONDER GEZICHT. *Bedevaartgangers zonder ogen of monden, doel onbekend, ze torsen levensgrote grijze beelden mee. Een menigte komt op mij toe, ze lopen mij onder de voet, waggelend, drugged door God...*

Aderlatingen van de geest.

~

Als kind was ik niet dom, ik was geraffineerd. Van wie had ik dat voor mijzelf verbijsterende, doch zeer welkome raffinement geërfd? Niet van mijn weinig fijnbesnaarde vader, niet van mijn onschuldige moeder, die niet oud genoeg werd om de leugen te leren kennen en die op haar doodsbed door haar kinderen versierd werd met rozen alsof zij een heilige was. Misschien scherpte mijn haat-liefde jegens mijn vader mijn raffinement aan, misschien verweet ik hem de dood van mijn moeder. Jij, zwijn, waarom moest je weer een kind bij haar maken...

Al toen ik nog een kleine jongen was, voelde ik dat ik anders was. Ik merkte dat ik mannen met mijn blik kon verwarren, dus stapte ik over straat en keek naar ze in de hoop dat zij zich naar mij zouden omdraaien. In het begin was dat natuurlijk kinderfantasie, maar toch een fantasie die bij ogenblikken werkelijkheid werd. Ik ontdekte mijn begeerlijkheid voor mannen, ik wekte iets in ze op, ik zag mezelf door hun ogen: ik kon niet NIEMAND zijn. Maar welke iemand ik wel was bleef in nevelen gehuld. Ik snakte naar genegenheid en ervoer iedere vorm van aandacht, hoe terloops en vulgair dan ook, als weldadig. Ik ontdekte dat ik macht kon uitoefenen over volwassen mannen: leraren, soldaten, voorbijgangers met die geur van mannelijkheid in hun kleren en ik leerde hoe macht werkte, de macht van de verleiding. (Rechtvaardigde ik mijzelf door die macht als vorm van liefde te zien?)

Ik ontwikkelde raffinement. Raffinement gaf mij een gevoel van overwicht.

Jarenlang, zelfs tot in mijn eerste huwelijksjaren sprak ik niet over mijn verlangens, durfde ik niet voor mijn geaardheid uit te komen. Ondanks mijn ogenschijnlijke zekerheid betwijfelde ik of ik sterk genoeg zou zijn om openlijk de confrontatie aan te gaan. Vergeet niet dat ik me buitengesloten voelde, buiten de cirkel van het gangbare leven geplaatst, want ik was in een wereld geboren die gedicteerd werd door fatsoen, hypocrisie, burgerlijkheid. Geheimhouding werd mijn sterkste troef, mijn specialiteit. Door de jaren heen heb ik een ondoordringbare barricade van geheimhouding gemetseld. Tot ik op een dag die barricade niet meer nodig had.

Mijn eerste impuls was altijd: hou van mij... en als ik dan een offer moest brengen, dan was dat maar zo. Meestal lieten die kortstondig ontmoette mannen mij prompt weer vallen — zelfs de hopman verried met geen blik dat wij samen een geheim deelden, niets had enig vervolg en meteen spoelde de verlatenheid weer over mij heen.

Ik droomde ervan van iemand het eigendom te zijn, ik wilde een meester erkennen. Ik fantaseerde dat ik een slaaf was in antieke tijden die zijn meester gereedmaakte om zijn vrouw te bezoeken, een meester die ik waste en parfumeerde en kapte. Dat ik er vervolgens bij aanwezig mocht zijn wanneer mijn meester met zijn vrouw het liefdesspel bedreef, maar dat het niet lukte tussen die twee en de meester zich daarop naar mij wendde om mij te nemen.

Ik was veel alleen, ik begon mijn verbeeldingen op papier te zetten. Ik kon goed tekenen. Dikwijls werd ik door onze onderwijzer voor de klas geroepen en moest dan op het bord laten zien wat hij had uitgelegd. Ik herinner me hoe ik met krijt de doorsnee van een bij tekende met darmstelsel en al. Ik hield ervan te epateren en was gelukkig als de meester mij prees. Ik beijverde mij het krijt van zijn jasje te kloppen, ik was verliefd op hem.

Soms liep hij naar de bank waar ik zat en drukte zijn gulp tegen mijn hand die ik rond de rand van het tafelblad hield. Dat was een spel tussen ons. Ik bleef onschuldig in zijn ogen kijken, terwijl ik zijn geslacht tegen mijn hand voelde zwellen.

Een jongen op school zat in het boek *Tarzan* te lezen en ik zag het plaatje van die krachtpatser met zijn tors en zijn spierballen. Dat trof me en ik dacht: zo zou ik ook willen zijn. Ik keek in de spiegel naar mijn magere jongenslichaam, naar mijn schouders waarvan de botten zich scherp aftekenden en speurde naar een begin van spierballen of een aarzelende groei van okselhaar. Iedere zaterdag, wanneer ik uit bad kwam, hief ik mijn armen omhoog om naar de eerste okselhaartjes te turen alsof het kiemplantjes waren die een uitbundige groei beloofden, ik popelde ernaar dat de gewenste veranderingen zich aan mij zouden voltrekken.

Een jaar later zat ik huiswerk te maken aan een tafeltje voor het raam toen ik door een onverklaarbare oorzaak een vreemd gevoel kreeg in mijn onderbuik. Ik deed mijn gulp open en daar kwam mijn pik tevoorschijn met een kracht die mij verbijsterde. De tinteling begon in mijn schouders en voer door mijn hele lichaam tot aan mijn knieën, ik kon nauwelijks adem krijgen, een dringende golfbeweging dreef mij omhoog tot ik over de top heen werd getild en in een grondeloze diepte tuimelde. Mijn oren suisden alsof er duizenden luchtbelletjes in opstegen en toen ik weer bij zinnen

71

kwam, was ik verbaasd dat mijn opengeslagen schoolschrift nog zonder mankeren voor mij op mijn tafeltje lag.

Mijn broer begon achter de meisjes aan te zitten en maakte mij deelgenoot van zijn avonturen. Toch begreep ik niet hoe dat geknijp en gezoen van meisjes tot opwinding kon leiden. Ook de encyclopedie van mijn vader die ik consulteerde, maakte mij niet veel wijzer. Het werd mij niet duidelijk hoe 'liefde' voor een vrouw tot seksuele verlangens kon leiden. De vriendschap die ik met meisjes onderhield, had niets van doen met mijn groeiende begeerte naar bevrediging. Aan Tomas liet ik niks van mijn twijfel merken, zelfs tegenover mijzelf wilde ik niet toegeven dat er tussen hem en mij verschil bestond waar het onze seksuele gevoelens betrof. Tomas lachte mij uit en zei dat ik nog een schaap was. Hij droomde van de geheime lichaamsdelen van de vrouw en ik droomde ervan gestreeld te worden door mannenhanden.

Soms dwaalde ik door de duinen (dat was in de tijd dat wij al in de Tomatenstraat woonden) en keek flirterig naar eenzame mannen die daar rondliepen, in de hoop dat zij op mijn avances in zouden gaan. Het maakte niet uit, als ik maar gestreeld werd. Toch bleef altijd het besef een uitzondering te zijn, nergens bij te horen.

Als puber heb ik er vaak aan gedacht mezelf te doden. Ik gaf me over aan sinistere dromerijen die niet ontbloot waren van zelfbeklag. Mijn fantasieën werden geboren uit de wens mijn vader te straffen, ook uit wraakgevoelens ten opzichte van Maat, Tomas, de hopman en allen die mijn leven in verwarring hadden gebracht. Geleidelijk aan verloren die dagdromen echter hun fantastische kwaliteit en leken de manieren die ik bedacht had om mezelf van kant te maken, geen alternatief te bieden. Niettemin bleef ik het gevoel koesteren dat er een speciale dood op mij wachtte.

Bij toeval kreeg ik een boek over de Eerste Wereldoorlog in handen en ik begon mij te vereenzelvigen met de jonge soldaten die naar de loopgraven werden gestuurd. Wat mij boeide was hun martelaarschap, maar ook de heldhaftigheid waarmee zij een gewonde kameraad met gevaar voor eigen leven probeerden weg te slepen uit de gevarenzone, het lijfelijke samenzijn van die jongens tijdens de laatste dagen van hun leven. Het kwam mij aantrekkelijk voor om op die manier te sneuvelen.

Ik las wat ik maar te pakken kon krijgen over de oorlog '14-'18, zoals *Im Westen nichts Neues* van Erich Maria Remarque, dat toentertijd een huiver door Europa had gejaagd omdat het de oorlog plotseling een menselijk gezicht had gegeven. In antiquariaten bladerde ik in oude fotoboeken die een apocalyptische wereld voor mij openden en ik zoog de beelden in mij op van aan flarden geschoten aardkleurige lichamen die met een soort nederigheid, zo leek het, bijna beschaamd in de modder lagen, alsof zij zich wilden uitwissen en prijsgeven aan de vergetelheid. Met daartussen een enkel bleek gezicht onder een helm, gaaf als een bloem.

Wanneer ik het woord Verdun hoorde, rezen de haartjes op mijn armen omhoog en voelde ik mij als een hond die de echo van een lang verklonken jachtsignaal hoort. Het verging me alsof ik de kruitdamp en de fosfor in de lucht kon ruiken en iets als nostalgie rukte aan de membranen van mijn geest. En de paarden. De zware Belgische trekpaarden die geschutsstukken voortzeulden, paardenhoofden waarin enkel een dof besef leefde dat zij geboren waren om te zeulen en hun besokte voeten een voor een naar voren te verplaatsen, terwijl loodzware lasten achter hun schoften aan denderden. Die wisten nog niets van hun toekomstig lijden, hun gruwelijke dood.

Door het gas blind geworden soldaten liepen in een lange rij met een hand op de schouder van hun voorganger, zoals op het schilderij *Parabel* van Pieter Brueghel de Oudere, de meesten met een witte lap rond hun hoofd. Het gas, zo las ik, verwoestte de ogen en de longen; op brandwonden poog-de men nieuwe huid te laten groeien, maar aan ogen en lon-gen was niets te doen. En al die regimenten gerekruteerd uit overzeese gebiedsdelen. De Schotten kwamen aanmarcheren op de muziek van hun doedelzakken. Dan had je de Indiërs, die de oren van afgeslachte Duitsers aan hun tulbanden had-den hangen. Ook de Marokkanen zagen er schitterend uit in rode mantels, wit gevoerd, alsof zij gevechtshanen waren en met hun kleuren wilden imponeren. En dat ging allemaal de modder van de loopgraven in. De Duitsers zongen altijd op weg naar het front. Ze zongen dezelfde liedjes die ook in de Tweede Wereldoorlog gezongen zouden worden: 'Deutsch-land, Deutschland über alles' en 'In der Heimat werden wir uns wiedersehen' of 'Es kam ein Kugel geflogen'... een mu-ziekkapel ging voorop.

Ik leende boeken uit de bibliotheek en lag ze 's nachts met een zaklantaarn onder mijn dekens te lezen. Sommige daar-van behelsden brieven en interviews met mensen die in de nabijheid van het front hadden gewoond. Een vrouw uit Ieper vertelde hoe zij als kind gewend raakte aan de lijken: 'Wij, kinderen, aten onze boterhammen terwijl wij op de lijken zaten.'

'Ik was schoenmaker,' vertelde een tachtigjarige man. 'Er werd veel gedanst in het dorp, de soldaten dansten hele nachten door voor zij naar het front gingen. Er was op het dorpsplein een hele kring uitgesleten. Iedere drie weken moest ik de schoenen van de meisjes verzolen. En er kwamen veel baby's van, van dat gedans. Duitse baby's aan de ene kant, Engelse, Schotse of Franse aan de andere kant.'

In sommige nachten stuitte ik op afzichtelijke foto's van verminkte gezichten, restanten van gezichten die uit niet veel meer bestonden dan een schedel, een oog en een kin, terwijl daartussen een absurde opening gaapte als de opengesperde bek van een reuzenvis, geen neus, geen mond. Er waren voorbeelden te zien van kunstoren en -ogen, of plaatjes van kunststof die over het weggeschoten deel van het gezicht konden worden geschoven, soms met een glazen oog erin en met een haakje eraan waarmee het hulpstuk aan een oor kon worden bevestigd, aangenomen dat er nog een oor aanwezig was.

Ik val over mijn boek in slaap en de nachtmerrie gaat verder.

'Wilt u een paar ogen? Welke kleur?' 'Hoe bevallen je deze oren? Ze zijn te groot voor je? Het spijt me, we hebben geen keus.' 'Dank u zeer...' Ik loop rond met de oren van koning Midas. Ze bollen zich als zeilen in de wind, ik word opgetild van de grond en ik zeil ermee weg recht in de rode sulfurgloed van het front.

Het is 1963. Met mijn eerste auto, een tweedehands Renault 4, rijd ik met mijn gezin langs de Maas naar Frankrijk, naar Seuzey, waar we een zomerhuisje hebben gehuurd.

Plotseling springt er langs de weg een richtingaanwijzer binnen mijn gezichtsveld: Verdun.

'Waarom wil je daarheen?' vraagt Anna.

Een landweg buigt af naar het westen, die komt me bekend voor. Anna heeft honger. 'Zullen we wat eten?' Ze spreidt een groot servet over het gras en stalt daar appels en sandwiches op uit. Terwijl Anna en de kinderen eten, loop ik omhoog, een heuveltje op en kijk rond. Er staan enkele bomen op het heuveltje. Die herken ik en opeens krijg ik een zinkend gevoel in mijn maag alsof ik ga flauwvallen. Koud zweet parelt op mijn voorhoofd, een herinnering breekt door: hier ben ik gesneuveld.

'Voel je je niet goed?' vraagt Anna. 'Je ziet lijkbleek.'

Ons Franse zomerhuisje staat op het slagveld. Het dorp, zo wordt me verteld, werd tijdens de Eerste Wereldoorlog volledig verwoest, maar is in 1927 herbouwd. Er loopt een weg van Bar-le-Duc naar Verdun. Ik herinner me die scherp: het was de bevoorradingsweg en om de vier kilometer staat er een sokkel met een Franse helm erop. Dat is de Route Sacrée, een weg die een levensader was en die merkwaardig genoeg de hele oorlog open is gebleven; we hebben hem niet eens verdedigd. Oorspronkelijk was het een klinkerweg, waarop je elkaar nauwelijks kon passeren.

Ik herinner me hoe ik met een kar over het slagveld reed. Een sergeant heeft me die opdracht gegeven: 'Jij moet met paard en wagen naar de andere kant van het slagveld rijden, maar je mag niet omkijken om te zien wat er in de wagen ligt.' Het paard is een afgeleefde knol, het sukkelt voort terwijl er wordt geschoten, overal rondom mij slaan granaten in, er ontstaan kraters in het wegdek, daar moet ik omheen zien te komen. Er klinkt oorverdovende herrie, daarna luwt het lawaai en ik denk: nu mag ik kijken.

In de kar ligt een rode opgevouwen legerdeken met wollige pluisjes. Ik verlang ernaar daarmee te worden toegedekt.

Buiten de muur van het kerkhofje van Seuzey ligt een graf: *Soldat Allemand Inconnu 1914-1918* staat er in de steen gegrift. Onbekende mensen brengen daar geregeld bloemen,

76

naar die onbekende soldaat. Ik pluk papavers in de achtertuin van het dorpshuis waarin wij de zomer doorbrengen en
breng die naar de dode, mijn dode.

Jaren achtereen ga ik daarheen, een bedevaart maken om
dat zonderlinge verterende gevoel van droefenis en heimwee
te stillen, dat ergens in mijn jeugd begon en zich uitkristalli-
seerde in dat moment, dat onverklaarbare weten: hier ben ik
gesneuveld in een vorig leven.

~

In de Egyptische mythologie is de godin Maat degene die de ziel van de afgestorvene weegt alvorens deze toegang krijgt tot de onderwereld. Daartoe legt zij de struisvogelveer die zij in haar hoofdtooi draagt in een van de schalen van de weegschaal. Is de ziel van de dode zwaarder dan de veer en slaat de weegschaal naar de verkeerde kant door, dan is de dode verdoemd en wordt door het monster Ammit, de eter van de doden, verslonden.

Toen ik daarover las, associeerde ik de godin Maat onmiddellijk met onze Maat, 'onze mams', zoals zij wilde dat wij haar noemden. Niet vanwege de rechtvaardigheid van haar oordeel — want die was meestentijds aanvechtbaar, maar vanwege de constante dreiging van de kanteling van de weegschaal, de angst om uit de gunst te raken en veroordeeld te worden tot een naargeestige bestraffing.

Na mijn vaders dood ontpopte zij zich meer en meer als een psychopate. Zij loog en fantaseerde, speelde de kinderen tegen elkaar uit, dan was de een haar lieveling en dan weer de ander, terwijl de eerste werd verstoten. Toch bleef zij de spil van het gezin, zij deed alles voor ons, maar eiste daar onvoorwaardelijke trouw en eeuwige dankbaarheid voor terug. Immers, zij had haar leven voor ons opgeofferd. Over mijn moeder mochten wij nooit met een woord spreken, zelfs werd zij door Maat zwartgemaakt. Dat verwarde mij, want ik had van mijn moeder gehouden, maar ik mocht dat niet zeggen. Maat schoof haar eigen beeld als een grote wolk voor de vervagende lieflijke beeltenis van mijn moeder. Zij eigende zich de rol toe van enige echte moeder, de oermoeder, aan wie wij alle vijf, zonder uitzondering, horig waren. Zelfs tegenover elkaar durfden wij nooit kwaad over haar te spreken. We matigden ons geen oordeel aan, we zaten als verlamde vliegjes in haar web, want van meet af aan was het in onze nog weke geest geprent dat wij DANKBAAR moesten zijn. Zelfs na haar dood durfden wij onze mond niet open te doen over de schaduwzijden van haar karakter. (Overigens stierf zij een beroerde dood: zij kreeg kanker, een kankersoort die stinkt. Wanneer ik in de Tomatenstraat kwam meende ik de stank al door de deur heen te ruiken.)

Maat gedroeg zich alsof zij van adel was. Zij minachtte het 'gewone volk' en kreeg door die eigenaardige hoogmoed en de autoriteit die zij uitstraalde verbazingwekkend veel gedaan. In de oorlog negeerde zij straal de rij wachtenden die vanaf het distributiekantoor op het Goudenregenplein tot aan de Laan van Meerdervoort stond, zonder acht te slaan op opmerkingen als: 'Achter aansluiten, juffrouw.' Omdat zij zich inbeeldde een aristocrate te zijn verwachtte zij met bijzondere egards behandeld te worden. In de familiekring wilde zij altijd het middelpunt zijn, ze was gevat en wist feilloos de zwakke plekken bij anderen te vinden. Trees kreeg vroeg borsten, grote borsten en dat vond ze prachtig. 'Jij vindt dat mooi, maar anderen denken daar anders over,' zei Maat. 'Je lijkt wel een koe.'

Zij kocht voor Trees een bh zonder smaak of kraak, het ijzeren kuras, zoals wij dat ding noemden, een remedie tegen de toenadering van elke verliefde jongeman. Later ontmoedigde zij ieder vriendje dat voor mijn zusjes kwam, zij stelde seks voor als iets smerigs. Trouwen, dat deed je niet.

Daarentegen waren er ook perioden waarop zij een verontrustende behoefte aan lichamelijk contact vertoonde. Jaren achtereen sliep zij samen met Atie in een eenpersoonsbed. Meermalen trok Atie zich al om acht uur in haar kamertje terug om alleen te kunnen zijn, om dat bed, al was het maar voor even, voor zichzelf te kunnen hebben. Veel verborgens speelde zich in ons gezin af onder de dekmantel van harmonie en ordelijkheid.

Tegen de tijd dat Tomas en ik zestien, zeventien jaar werden, kroop Maat ook bij ons in bed. Dan huilde ze: 'Ik ben zo verdrietig, ik ben zo ongelukkig...'

Verstikt in die ongewenste lijfelijke intimiteit bestierf ik het van ellende wanneer ik voelde hoe haar kwabbige benen zich tussen de mijne probeerden te nestelen. Als een plank bleef ik liggen, tot ik tenslotte de moed kon opbrengen haar met droge mond een kusje op het voorhoofd te geven en te zeggen: 'Ik zou nu maar eens naar mijn eigen bed gaan.'

Haar mooie hoofd, haar lange welgevormde hals, de kleine borsten — welke wrange grap van het noodlot had haar geketend aan dat onderlijf van haar? Zij moet verteerd zijn geworden door begeerte naar seks, naar een man. Maar levenslang moest zij die afzichtelijke uitwas met zich mee torsen als een termietenkoningin. Zonder nut echter, die uitwas, er zouden geen nakomelingen uit haar voortkomen, uit haar, de onbevruchte, de maagdelijke termietenkoningin.

Toch wilde zij heersen als een koningin en diende zij ons, haar onderdanen, haar bedwelmend gif toe, druppel voor druppel, om onze persoonlijkheid uit te wissen en ons horig aan haar te maken. Bij ieder vermoeden van amok van onze kant wreef zij ons onder de neus dat wij ons welzijn, zo niet ons leven, aan haar te danken hadden.

Mijn drie zussen heeft zij dusdanig gehersenspoeld dat zij

nooit hebben durven trouwen, haar hermetische maagdelijk-
heid heeft zij in hen overgeplant. Alleen ik ontsnapte tot op
zekere hoogte, ik ontsnapte naar mijn fantasiewereld, geheime seksavonturen en naar mijn tekenpapier. Ook voelde zij
zich met mij niet altijd op haar gemak. Ik doorzag haar, ik
had te veel antennes.

Op de dag van mijn vijftiende verjaardag zei Maat tegen
mij: 'Ga even naar dat bazarretje en haal wat lila linten en
een paar kuikentjes (het was maart) om de tafel mee te versieren.' Ik rijd daarheen, stap van mijn fiets en er is een man
die zijn hand in mijn nek legt en zegt: 'Jij gaat met mij mee.'
Twee uur later kwam ik pas thuis. Heeft zij iets van mijn
geaardheid afgeweten?

In die tijd heb ik leren liegen. Mocht Maat argwaan hebben gekoesterd, zij sprak er niet over. — Hou jij je maar aan
dat mannengedoe, moet ze gedacht hebben, dan trouw je
niet en blijf je voor mij zorgen.

Ik was dertig toen ik met Anna wilde trouwen. Ik heb dit
aan Maat verteld en zij laat een blik vol superieure minach-
ting over mij heen glijden en zegt: 'Vies hondje... Ik dacht
dat jij boven zoiets verheven was.'

Maat doemt nog dikwijls op in mijn dromen en altijd is er
dat dreigen, dat hoongelach.

In Villers-sur-Lesse brachten wij een zomervakantie door,
jongvolwassenen toch al, voor de buitenwereld evenwel nog
steeds als saamhorig gezinnetje verenigd rond Maat.

We gingen fietsen, het was drukkend warm en op een stil
plekje zetten wij onze rijwielen tegen de bomen en doken
het water van de Lesse in. Maat had geen badpak bij zich,
maar ontdeed zich niettemin van haar kleren. Ik was be-
nieuwd hoever zij zou gaan. Zonlicht viel tussen het gebla-

derte door op haar huid en daar verscheen ze, poedelnaakt, enkel gekleed in een pantervel van schaduw- en zonnevlekjes. Haar lompe maatschoenen, *Welf*schoenen, die het gewicht van haar benen en heupen moesten schragen, stonden naast elkaar bij haar stapeltje kleren. Door het onbarmhartige zonlicht heen waadde ze door het water naar een grote platte steen die in het midden van de stroming lag, ging erop zitten en begon zich nat te spetteren onder het slaken van kokette kreetjes. Daar zat ze, ons afgodsbeeld, als een bizar vruchtbaarheidsbeeld uit Afrika of Midden-Amerika, gemonteerd op die steen en uitgetild boven het water, alsof ze de offerande van onze aanbidding verwachtte; een zoetelijk lachje speelde rond haar lippen.

Eén ding moet ik Maat evenwel nageven: zij was het die mij als eerste met naald en draad liet werken. Als kleine jongen mocht ik van haar bloemen borduren op de jurkjes van mijn babyzusje. In die tijd waren er smokjurkjes in de mode met een glad bovenstuk en daar tekende ik mijn bloemen op en Maat gaf mij fijne gekleurde wol om die daarmee te borduren. Oranje draad voor op een lindegroen jurkje of lavendelblauw voor op een roze. Heel secuur legde ik de steekjes naast elkaar, en voor de tijd dat ik borduurde daalde er rust in me, voelde ik me gelukkig. Later, toen ik al getrouwd was, trok ik op een dag verfstrepen over een stuk dobbystof, en terwijl zij hiernaar keek zei Anna: 'Het lijkt of je draden wilt trekken.' Daarna heb ik nooit meer geschilderd.

Tussen mijn achtste en twaalfde jaar zong ik in het jongenskoor van de *Mattheüspassie* in de Grote Kerk van Naarden. Er kwamen dames in onze klas en wij moesten voor ze zingen. Onze meester liet zijn stemvork klinken en sloeg met zijn arm door de lucht. De dames liepen tussen de banken door, onderwijl hun oor naar onze monden neigend. Ik werd samen met een ander jongetje uitverkoren.

Bij de uitvoering moesten wij korte zwarte broeken dragen, paarse bloeses met een paarse das. Aanvankelijk repeteerden wij enkel met een piano tot die vervangen werd door een klavecimbel en er twee violen bij kwamen. Tenslotte verschenen er musici met hobo's, dwarsfluiten en celli – een zee van instrumenten, waarboven wij in rijen stonden opgesteld. Op de generale traden de solisten aan met stemmen die als vogels boven het orkest uitstegen, of er in donkere dreigende tonen doorheen weefden. Ik heb dat als een openbaring ervaren, die golven van muziek door elkaar heen.

Wij stonden ver van de dirigent vandaan en ik piekerde erover hoe wij konden zien wanneer wij moesten beginnen. Ingespannen tuurde ik naar het minuscule poppetje dat daarbeneden met zijn stokje stond te zwaaien. Maar hij strekte zijn hand naar ons uit, greep ons beet, voerde ons mee de lucht in en kapte onze zang weer af, precies op tijd. Ik hoorde Judas zingen – ik haatte die ellendeling die Jezus verraden had. Wanneer hij langs kwam lopen, strekte ik mijn been uit in een poging hem te laten struikelen.

Toen ik twaalf werd zei de koorrepetitor: 'Je wilt zo graag, maar zing toch maar niet mee met de hoogste noten.' Ik kreeg de baard in de keel.

Vorig jaar hoorde ik voor het eerst na jaren de *Mattheüs* weer. De sopraan zong: 'Aus Liebe will mein Heiland sterben / von einer Sünde weiß er nichts.' Op dat ogenblik had ik zonder spijt de geest willen geven.

Ik was met een vriend in Griekenland en wij verbrandden he-
vig in de mediterrane zon. Wij dwaalden rond in de buurt van
Olympia en een herder, die daar met zijn schapen liep, gebaar-
de naar ons dat wij ons moesten insmeren. De herder plukte een
twijg van een bloeiende oleander en wreef de bloemblaadjes tus-
sen zijn gegroefde vingers fijn om met het sap over mijn gezicht
te strijken. Wij vonden het zonde van die bloemen, maar olean-
ders groeien daar als onkruid, dus volgden wij zijn raad op. Het
hielp, er zit iets olieachtigs in die bloemen.

Er is nauwelijks een menselijke gestalte te ontwaren, zo dicht is
die omstuwd door bladeren in dezelfde oranjeroze kleur als de
huid van de man. Een symbiose tussen man en plant. Grote
onhandige handen knellen de bloesems tussen de vingers, pletten
ze fijn, het heeft er de schijn van dat de man de bloemen wil
opeten — een kannibalistische vertoning.

In de linker onderhoek van het kleed is een doorgesneden
peer te zien met in het klokhuis twee pitoogjes die merkwaardig
veel lijken op de ogen van de man verborgen in oleanderbloe-
sems.

De peer is het symbool van het vrouwelijke, zoals de appel dat
is van het mannelijke. Dat was al zo in de oudheid. De peer
heeft een baarmoedervorm. Op al mijn doeken zou ik eigenlijk
als embleem een peer moeten zetten.

Als ik een peer opensnijd, ervaar ik dat als een brute schen-

ding. Die peer is vanaf zijn knop, zijn vruchtzetting, gedurende zijn groei dicht geweest en nu snijd ik hem open.

Op de intensive care zijn geen ramen. Je bent afgesloten, zoals vlees in een diepvrieskluis, met dit verschil dat hier het vlees nog leeft en er een lauwe warmte in de kluis heerst. Apparatuur overheerst hier, fluisterende robots hebben levensfuncties overgenomen en schetsen dartele lijntjes over radarschermen, hevelen vloeistof over in nog warme aderen: een steriel vagevuur waarin roerloze gestalten in witte kano's drijven, die in een ultieme reddingsactie door kabels uit de gevarenzone worden weggesleept. Ze dobberen in hun bedden over een flinterdun oppervlak en daaronder ligt een diep zwart water.

Ik til een ooglid op en zie druppels met de regelmaat van een klok door een doorzichtig slangetje vallen, andere slangen hebben zich als bloedzuigers aan mijn borst gehecht en kronkelen onder het laken vandaan naar een zwarte doos. Ik lijk een medusa.

Ik ben achter mijn adem. Word ik opgepompt? Welke grens kan bereikt worden voordat ik barst?

Eerst een kleine attaque, mijn hoofd gloeide, mijn rechterbeen ging slepen, op handen en voeten kroop ik over de grond om de telefoon te bereiken, zweet op mijn kop.

'Anna, Anna...' Mijn stem verdraaid, hijgerig – vroeger op de Kweekschool was die toch tot in de verste uithoeken verstaanbaar?

'Anna, ik ga dood.'

In de ambulance naar hier, hoe lang geleden?

Ik zit opgesloten in een glazen bokaal, mijn lichaamsdelen heel klein samengevouwen, mijn hoofd erbovenuit, mijn mond schreeuwt, schreeuwt...

Glas is breekbaar materiaal, de vaste materie is breekbaar. Een ratelend geluid in mijn borstkas, in mijn bloedbaan, mijn bloed gorgelt weg door de afvoerpijp, ik stroom weg, ik vloei terug in het zwarte water.

Een witte schim aan mijn bed. Een verlicht moment: ik sterf. Maar laat ik het in godsnaam met waardigheid doen.

Ik zie een verweerde grijze muur en daar bloeien klaprozen voor, ijle klaproosjes. 'Hier moet je blijven,' zeg ik tegen mijzelf. Maar er is een onderstroom die mij wegzuigt. Met al mijn kracht probeer ik terug te keren bij de grijze muur en de klaproosjes. Het was in Seuzey. Ik plukte armen vol klaprozen. Zolang die nog in de knop zijn, hebben ze een geknikte hals, maar zelfs al zijn ze afgesneden, dan nog trachten ze rechtop te komen en hun bloembladen te ontvouwen.

De personen die hier liggen proberen in stilte hun hart gaande te houden. Er is geen conversatie. Die is uitgevallen. Is er nog iemand bereikbaar voor de menselijke stem? Mijn bewustzijn flakkert aan en uit. Mijn lippen zijn droog. Ik zou willen drinken. Vocht komt binnen door middel van een slang.

Ik droom dat ik met mijn mond tegen een warme wang lig, een warm lichaam naast het mijne, het is van een man. Laat het duren, denk ik. Maar ik merk dat ik naar beneden zink, steeds dieper. Een stem zegt: 'Nu mag je weggaan.' Ik schrik op. 'Nog niet,' zeg ik, 'ik moet nog iets maken.' Dan voel ik me naar boven stijgen, zoals toen ik van de duikplank in het diepe sprong.

Ik lig op zaal. Rode lampjes aan de bedden aan de overkant. Rode ogen van wezens die mij bedreigen, wachten om toe te slaan. Ik zeg: 'Zuster, luister eens...' maar er komt iets heel anders uit mijn mond. Het apparaat van mededeling is defect.

Ik denk: ik ken die bloes, die is van Anna. Hoe komt dat mens aan de bloes van Anna?

Maar het ís Anna.

'Ben je wakker?'

Zich vooroverbuigend geeft ze mij een kus, wrijft met haar vingertop mijn wang schoon: 'O jee, lippenstift.'

'Ik word graag besmeurd, dat weet je toch?' murmel ik terug. De schaduw van een glimlach beweegt zich tussen haar lippen en de mijne. Een raar gesprekje, ontfutseld aan het niet-zijn.

'Hoe lang al?' vraag ik.

'Tien dagen,' zegt ze.

Tien dagen weggesneden uit mijn leven, een eeuwigheid doorgebracht in het vagevuur.

'De klaprozen,' zeg ik, met die rare stem die ik niet herken als de mijne.

'Wat zeg je?'

'Ik wilde bij de klaprozen blijven...'

'Niet praten,' zegt ze.

Nuchter. Pragmatische Anna. Pragmatisch heeft ze zich over mijn leven ontfermd. Pragmatisch heeft ze... Maar zo was het niet, ik ben te moe om te bedenken hoe het was, wie zij was in mijn leven.

STERFBED. *Het bed is ongewoon kort (heb ik ingekort omdat*
het niet op het doek paste). De stervende met kaal hoofd lijkt op
de seniele koning Lear met waanzin in zijn oog, waanzin in
zijn wijd opengesperde mond. Ik heb hem verpakt in een vlies-
dun omhulsel. Geboortevlies van de dood? Of is het een duiker-
klok en is de stervende een diepzeeduiker?

Een herfstblad dwarrelt door de lucht voor zijn open mond.
Eén hap en hij slikt de dood in.

Toen Tomas en ik die zomer na vaders dood terugkeerden uit het natuurkamp van de Jamboree in 1935 werden we gedumpt in de Tomatenstraat in Den Haag. In onze afwezigheid had Maat de tweelingvilla in Bussum verkocht zonder daarover ook maar met één woord te reppen. Wij werden voor het fait accompli gesteld zonder dat wij afscheid hadden kunnen nemen van het huis waarin we geboren waren en onze kinderjaren hadden doorgebracht en van de tuin en vriendjes op school. Met uitzondering van enkele kasten, serviesgoed en vaders portret als zeekapitein was de gehele inboedel van de hand gedaan. Maat had schoon schip gemaakt. Wanneer ik in het nieuwe huis rondliep, kwam ik mijzelf voor als iemand zonder aantoonbaar verleden.

Een zonderling brandscherm was over ons leven gevallen en met onverklaarbare gedweeheid accepteerden wij alles wat die seksloze reuzin over ons besliste. De domper die op ons leven was gezet leek onze vitaliteit te doven, de groei van onze persoonlijkheid af te remmen, alsof we onbewust beseften dat het maar beter was te buigen dan ons te weer te stellen.

Terzelfder tijd was ook het zingen in het koor van de *Mattheüspassie* verleden tijd geworden. De afstand naar Naarden was te groot en bovendien begon mijn stem rare uitschieters te produceren. In Bussum had ik op de HBS gezeten, maar zodra ik in Den Haag schoolging, zakten mijn prestaties onrustbarend. Maat had er geen moeite mee mij op de Mulo te doen, die vond zij goed genoeg, voor studeren zou er toch geen geld zijn. Zo werd mijn toekomst op steeds smallere leest geschoeid. Niet dat ik mij daarvan bewust was. Mijn verwachtingen, mijn zelfbeeld, de persoon die ik zou kunnen worden, bleven diffuus. Ik at, ik dronk en trapte op de fiets naar de Mulo. Mijn gevoelsleven liet zich echter niet onderdrukken: ik werd verliefd op de buurman, een jongeman met een gezin, een referendaris bij de PTT. Om half zes in de namiddag zat ik op mijn post voor het raam om te zien hoe hij op zijn fiets aan kwam rijden, en in de vroege ochtend ging ik de tuin in onder het voorwendsel dat ik daar mijn Franse woordjes beter kon leren en installeerde me dan op een krukje dat mij de gelegenheid bood hem in het naburig huis in pyjama de balkondeuren te zien opengooien.

Op een dag sloeg hij zijn arm om mijn schouders en zei dat hij graag een zoon zoals ik zou hebben gehad. Thuis haalde ik mijn koffer voor de dag, een versleten valiesje waarvan de aanblik mij zo vaak had doen denken: waar moet ik heen? Maar nu wist ik het. Ik stopte er mijn spullen en mijn schaatsen in en vertrok naar het buurhuis. Ik drukte op de bel, de deur ging open, maar ik had mij vergist. Verbaasd monsterde hij mij met mijn koffer en begon op sussende toon tegen mij te praten alsof ik een ziek kind was, om mij vervolgens met valies en al terug te brengen naar Maat.

Buurman speelde handbal. Dikwijls mocht ik met hem mee wanneer er een competitie werd gespeeld. Dan deed hij voor aanvang van de wedstrijd zijn trouwring af en zei: 'Wil jij die voor mij bewaren?' Met het gevoel dat hij het kostbaarste van zijn leven aan mij had toevertrouwd, hield ik, zolang de wedstrijd duurde, die ring in mijn hand gekneld.

Ik werd vijftien en het eerste dons verscheen op mijn bovenlip.

'Je krijgt een snor,' zei hij. 'Kom zaterdagmiddag bij me, dan zal ik je helpen.'

Terwijl de scheerkwast met geurig schuim over mijn wangen danste, stond hij achter mij en drukte mijn achterovergebogen hoofd tegen zich aan. De zachte, gele zeep kwam uit een blikken doosje, waarop in gouden letters *De Gulden Hand* stond geschreven. Nog altijd bestaat De Gulden Hand, ik gebruik die zeep dagelijks, alleen scheer ik mij tegenwoordig liever met mijn ogen dicht om die ouwe kop in de spiegel niet te hoeven zien.

Na het feest van het inzepen (waarvan ik wenste dat dit eeuwig zou duren) trok hij mijn huid strak om het scheermes eroverheen te halen. Het voelde als een initiatie, door mij te scheren verklaarde hij mij tot man.

Nadat ik voor mijn eindexamen geslaagd was, zeiden mijn ooms en tantes: 'Ga typen leren bij Schoevers, doe een cursus steno.' De Roggebroodmaatschappij betaalde slechts zestig gulden per jaar per kind en Maat kreeg geen pensioen, dus was het zaak zo snel mogelijk aan een baantje te komen. Op voorspraak van buurman, de referendaris, werd ik jongste bediende bij de PTT. Kort nadien werd hij overgeplaatst naar Arnhem en twee jaar later kwam er voor mij een envelop met rouwrand waarin het bericht van zijn dood. Ironisch genoeg was dit het eerste poststuk in mijn leven aan mij persoonlijk gericht. Ik ben niet naar de begrafenis gegaan, ik heb op geen enkele manier gereageerd.

In mijn stofjas moest ik de ingaande en uitgaande post sorteren, op de diverse bureaus neerleggen en wanneer die was afgehandeld diende ik de poststukken te verzenden. Ik liep van het ene bureau naar het andere met mijn vingers tussen de dossiers om ze uit elkaar te houden, dossiers over kabels, over telefoontoestellen, nieuwe postauto's en welke kleur die moesten hebben, stukken voor het RIB, het Rijks Inkoopbureau. Mijn verdienste bestond uit vijfendertig gulden per maand.

In de kantoorruimten rook het naar stof, inkt van de stencilmachine en naar de met eau de cologne bevochtigde zakdoek van een aan migraine lijdende typiste. De muren van mijn postzakken-gevangenis waren vervuild en de wc stonk naar urine en chloor. Klerken stonden daar met een tandenstoker tussen hun kiezen te peuteren of voor de spiegel een puist uit te drukken om zich vervolgens weer in onbestemde ruimten te verliezen. De ramen waren voor de helft geblindeerd en alleen als ik op mijn tenen ging staan, kon ik somtijds aan de overkant in de omlijsting van een verlicht raam het silhouet van een meisje zien bewegen. Ik noemde haar Amanda.

Aan mijn gesjouw kwam nooit een einde. Ik liep en ik liep, bijtend op de binnenkant van mijn wangen, ik tilde tot uit den treure brievenmappen en ordners op. Naar de letters van steden moest ik de brieven sorteren en in diverse vakken stoppen. Er waren dagen dat ik ze uit balorigheid in verkeerde vakjes deed.

Eén keer per week kon ik ontsnappen uit mijn gevangenis omdat ik van het Hoofdkantoor van de PTT naar de verschillende bijkantoren moest lopen om daar paperassen af te leveren. Die route: Javastraat, Scheveningseweg, Zeestraat en verder, noemde ik De Weg van de Zeven Vreugden, naar het boek van mevrouw Hille Garthé. Een van mijn vreugden was een appelboom in de tuin van een statig huis op de hoek van de Javastraat. In de lente droeg dat boompje een vracht bloesems (een uitdaging aan het adres van de stad) en in het najaar produceerde het rode sterappeltjes, vrolijke ouderwetse appeltjes, die tegenwoordig uit de gratie zijn geraakt en niet meer worden geteeld. Op de Scheveningseweg waren het een oldtimer uit de jaren twintig en een marmeren engel die mij tot bakens dienden in de monotonie van mijn PTT-bestaan. Maar absoluut hoogtepunt vormde Galerie Lierneur in de Zeestraat, waar ik door de etalageruit tuurde naar de daarbinnen hangende schilderijen.

Ik herinner me dat daar voor het eerst in mijn binnenste een snaar werd geraakt die een gevoel van herkenning in mij teweegbracht, een besef dat ik daarbij hoorde, dat die wereld achter het glas mijn wereld was. De grijsheid van mijn bestaan verdween uit het zicht, terwijl ik naar de gedurfde vormen en verfijnde kleurschakeringen keek, toch al met het oog van een kenner, verbeeldde ik me, want sedert mijn zestiende nam ik in mijn vrije tijd tekenlessen, en wanneer ik bij de PTT weinig te doen had bestudeerde ik kunstboeken die ik uit de bibliotheek leende. Galerie Lierneur schonk mij de kortstondige illusie van mijn toekomstig bestaan, mijn toekomstige zelf. Zodra was ik evenwel de Zeestraat uit gesjokt of die illusie verschrompelde, het gewicht van de aktetas hing als lood aan mijn arm en ik voelde mij veroordeeld om altijd zo voort te sjokken. Ik ervoer een pijn alsof de hand die aan de snaren van mijn ziel had geplukt de melodie had laten eindigen in een dissonant.

Met achttien jaar moest ik in militaire dienst. Ik koos voor de grenadiers, het garderegiment van de koning. Ik vond het opwindend, al die mannen in de kazerne, allemaal in uniform, allemaal gelijk. Achter dat uniform kon je je verschuilen, kon je jezelf zijn.

Er was weinig waar ik in uitmuntte, met een geweer kon ik niet overweg, met een revolver daarentegen wel. Ik schoot niet zelden in de roos hetgeen me enig prestige verschafte. Er werd in het leger aan voetbal gedaan, maar al spoedig werd ik uit het team gegooid. 'Hij staat alleen maar naar de duinen te kijken,' zei de sergeant.

Ik had geen meisjes, ik vuilbekte niet mee, ik hoorde er niet bij, maar veel van die soldaten konden niet lezen of schrijven en daar speelde ik op in. Ik bood aan ze te helpen en componeerde brieven voor ze, ik legde er gevoelens in die die jongens niet bezaten of niet onder woorden konden brengen. Daardoor nam ik toch een zekere positie in. Tijdens die periode leerde ik roken en drinken, beter gezegd: ik leerde doen alsof ik hield van roken en drinken, de diensttijd bracht mij tot het spelen van een voorbarige rijpheid.

In september 1939 brak de mobilisatie uit en moest ik opkomen voor mijn nummer. Ik beschouwde het als een verzetje, nu hoefde ik tenminste niet meer naar de PTT. Tijdens de mobilisatie werden we gelegerd op het eiland Vloek, waar alle asocialen van Scheveningen bij elkaar zaten. Er gebeurde niets, de oorlog leek een ongevaarlijke schim. In onze vrije uren gingen wij dikwijls zwemmen in de zwaaikom achter de haven, waar de loggers konden keren, en wanneer wij daar zwommen kwamen de meisjes van Vloek naar ons kijken. Eens per maand gingen onze kleren naar de legerwasserij, onze grof linnen hemden met plooitjes op de schouders en onze onmogelijke jaeger onderbroeken die met drie knoopjes van voren dichtgingen. Wat je terugkreeg was zelden je eigen plunje. Soms kreeg je een hemd dat tot je knieën reikte en dan moest je maar zien hoe je die hele massa in je broek propte.

Het werd lente. Ik ging bloemen plukken op de hellingen van het Verversingskanaal, waar het vol stond met margrieten, klaprozen en vergeet-mij-nietjes. De zee nam een afwachtende houding aan, de vogels, opgefokt door hun broeddrift, zongen uitbundig, niemand dacht dat de vloedgolf ons land zou bereiken, iedereen vertrouwde op onze neutraliteit die ons zonder kleerscheuren door de vorige oorlog heen had geloodst. Maar op een vroege ochtend in mei ontsprongen er rookwolkjes aan de hemel van de bedrieglijke dageraad en verschenen er overal hoofden achter de vensters: de oorlog was gearriveerd.

Ik verwachtte een omwenteling in mijn bestaan, in het bestaan van ons gezin, een totale omwenteling, waarin orde in wanorde zou omslaan, het dagelijkse ondagelijks zou worden en de maatschappij zou worden omgespit als een hoop afval, waarop bloemen van dood en verderf zouden bloeien. Deze oorlog leek echter op een vakantie aan zee, ik werkte die dagen als telefonist in de villa van Stokvis in Scheveningen en genoot schaamteloos van de stralende zon.

Zelfs later, gedurende de vijf bezettingsjaren, heeft de oorlog voor mij nooit grimmige trekken willen aannemen. Kennelijk had mijn jeugdige bemoeienis met de Eerste Wereldoorlog al mijn doodsangst, mijn melancholie omtrent de kortstondigheid van het bestaan en zelfs mijn doodsverlangen opgebruikt.

Op de derde dag van de oorlog zag ik in zee iets wits drijven. Ik trok mijn broek en schoenen uit en waadde door de lage brandingsgolven naar die lichtvlek. Het wit bleek de schapenvacht van een jak te zijn. Een jongeman, een militair. Ik trok hem naar de wal en legde hem neer op het natte strand. Ik knoopte zijn uniformjasje en zijn legerhemd open om aan zijn borst te luisteren. Maar die was koud als marmer en het was stil daarbinnen, zijn borst, nauwelijks behaard, lag melkwit onder de voorjaarszon. Ik zat er verslagen naar te kijken toen ik opeens een kleine rode vlek ontdekte onder zijn linker tepel. Het bleek een tatoeage te zijn in de vorm van een papaver. Het lichaam gaf een laatste sein af: het had aan iemand toebehoord en droeg als merkteken die rode papaver. Ik streek erover met mijn wijsvinger.

Het was een knappe jongen, zijn gezicht was nog niet opgezwollen door het water, de golven van de zee leken zijn trekken te hebben gepolijst en strengetjes nat blond haar hingen over zijn voorhoofd. Ik sloot zijn uniformjasje en keek zijn zakken na. Zijn persoonsbewijs zat in een gummi zakje en was nog goed leesbaar, al zat het verkleefd met een aantekenboekje en door vocht gerimpelde landkaarten waarop kruisjes stonden die mogelijk een doelwit aangaven. Hij moest een piloot zijn geweest wiens machine was neergehaald. En nu lag hij tussen de schelpen en dooie kwallen en ik zat zijn leven binnen te kijken.

Er stond een adres van een Noors meisje in zijn aantekenboekje met een datum erachter gekrabbeld. De datum van een afspraak? Ik bevoelde zijn persoonsbewijs, het vochtige zand ruggelde tussen mijn vingers. En opeens vlamde mijn oude verlangen op: IEMAND ANDERS ZIJN. Naar Noorwegen gaan, naar dat Noorse meisje, naar dat koude land met fjorden. Een andere identiteit aannemen. Ik zag een visioen van de avonturen die ik daar zou beleven met in mijn hoofd het portret van het Noorse meisje met ijsblauwe ogen, een Solvej die levenslang op me zou blijven wachten, in wier armen ik altijd welkom zou zijn, en ikzelf een Peer Gynt die bomen ging kappen in de bossen in dat land waar het in de winter onafgebroken duister bleef.

Dagen nadien lag ik nog op mijn brits in de kazerne te dagdromen. Voortdurend doemde het gezicht van de jonge drenkeling voor me op en zag ik zijn tors waarop de rode papaver stond getatoeëerd, van hem, een piloot die de vaardigheid had bezeten met zijn toestel door de lucht voort te ijlen – dat was nog eens wat anders dan klerk bij de PTT. Ik zag hem zwemmen als een zeehond met een glanzende rug, de haren nat langs zijn gezicht, een strookje van de witte schapenvacht als herkenningsteken rond zijn hals, of was ik het zelf die door de golven kliefde? Ergens aan land ging waar niemand mij kende? EEN ANDER WORDEN. Ik was jaloers op de dode, op zijn onbekende leven, zijn martelaarschap. Rode papavers, ijsblauwe ogen, vliegtuigen en wederwaardigheden van een onbestemde wilde aard dwarrelden dooreen. Mijn dode drenkeling was een medium tussen mij en een onbekende wereld, waarin ik mijn eigen avontuur zou scheppen. 's Nachts droomde ik dat hij mij omhelsde en de rode papaver tussen onze torsen werd geplet in een gloeiende kus.

Er kwam een geelgrijze wolk uit het zuiden aandrijven, een wolk die geen einde leek te nemen en Scheveningen toedekte: Rotterdam brandde. Generaal Winkelman gaf de vesting Holland over. Het raakte me nauwelijks.

Ik drenkte mijn lappen in de bittere kleuren van verval. Ik liet mijn drenkeling, DE DODE PILOOT, *verrotten in het water. Van een buurvrouw kreeg ik een versleten gehaakte trui en daar heb ik een groot aantal draden uitgehaald totdat er een lichaam in ontbinding ontstond.*

In slierten wordt zijn vlees door vissen uiteengereten (zijn het vissen? ze hebben mensengezichten, ronde gezichten die onheil seinen). De ogen van het Noorse meisje hebben zich in de tatoeage genesteld, de papaver bloedt, druppels vallen in trossen naar beneden. Sommige bloeddruppels kleur ik zwart, ze drijven naar de oppervlakte toe. Het zijn verkoolde tranen. (Bombardement op Rotterdam? Brandend Rotterdam?) Vier verschrikkelijke handen als waaiervormige palmbladen rond mijn dode. Daaromheen kinderen, onschuldig zoals alleen kinderen kunnen zijn, in blauwe, oranje en broodkorstkleuren.

Ik moet dat noodlottige lek in mijn bestaan, waardoor constant wanhoop naar binnen sijpelt, zien te dichten. Soms lukt me dat ook. En ontstaat er segment na segment onder mijn handen een stille breekbare wereld. Soms maak ik alleen maar bladeren en appels in zilverblauw en abrikooskleurige tinten. Daarmee strijk ik zalf over mijn ziel, het is een genezingsproces.

~

Bezettingsjaren. Jaren vol stroperige verveling met enkele pieken van opwinding daartussen. Wat dient zich aan als ik rondtast in de weke hersenmassa waarin mijn herinneringen zich schuilhouden? Wetenschappers beweren dat alles wat in je leven is gebeurd, daarin ligt opgeslagen, maar dat de verbindingswegen geblokkeerd kunnen raken naarmate je ouder wordt. Welk beeld komt er nu aangesneld, zonder te worden belemmerd, over de highway in mijn brein?

Atie. Zus Atie met haar dikke buik.

Toen Maat ontdekte dat zij zwanger was, hield Atie stijf haar mond en wilde niet zeggen van wie het kind was. Veel later hoorden wij dat die ondergedoken joodse jongen (Jules heette hij) waar Maat Atie dagelijks met een pan eten naartoe stuurde, de vader moet zijn geweest. Hoe oud was Atie? Zestien, zeventien? Van stugge markiezenstof fabriceerde Maat een korset voor haar, en later ging daar een groot schort van de kookschool overheen. Zij mocht niet meer naar buiten. Maat knipte Aties haren af zoals men dat later deed bij een moffenhoer en sloot haar op. Ik zie haar nog voor me met dat plompe lijf als van een met lappen volgestopte pop en met het kleine witte hoofd daarboven, de schedel waarop blonde stoppeltjes groeiden, haar mond week en vochtig.

Op een dag kom ik thuis en zie ik hoe Maat in de achtertuin Atie aan een arm in de rondte slingert om haar opeens los te laten zodat Atie met haar zwangere buik tegen de grond smakt. Atie gaf geen geluid, alleen tranen sijpelden over haar gezicht. Hijgend stond Maat toe te kijken hoe zij op de been krabbelde met haar handen tegen haar buik gedrukt. 'Dat hoerenkind van jou wil niet loslaten,' zei ze ontstemd.

Van alles had zij geprobeerd: vruchtafdrijvende drankjes bitter als gal, gigantische hoeveelheden wonderolie, Atie bij haar benen de trap af trekken. Alles zonder resultaat.

Toen de weeën begonnen moest ik Atie in een invalidekarretje naar Huize Margaretha brengen en daar beviel ze van een jongetje. De volgende ochtend gingen Maat en ik ernaar kijken, het was een mager donker kind. Zuster Eggeding, die in Huize Margaretha de scepter zwaaide, had een hond, een Ierse setter, en die stond op zijn achterpoten bij de wieg en likte het mondje van de zuigeling af waarop nog wat melk was achtergebleven.

'Goed zo,' zei Maat. 'Vooruit maar! Laat dat hoerenjong maar wat krijgen!'

De vervloeking deed zijn werk, het kind kreeg een infectie en was in de kortste keren dood.

Ander beeld: een jongeman, ikzelf, in een legerkleurige overall en met Duitse legerlaarzen, die ergens waren achtergebleven of gestolen, aan de benen. Ik werkte bij een boer in ruil voor kost en inwoning. Ik moest koeien melken, bieten en aardappelen rooien, stallen schoonmaken en nog talloze andere akkevietjes klaren. Het was het laatste oorlogsjaar en ik had moeten onderduiken. Ik werkte daar samen met een andere onderduiker die Henk heette. Wanneer we in het middaguur aan tafel gingen deed de boerin de gordijnen dicht zodat de mensen uit de grote steden, die op hongertocht waren, niet konden zien hoe goed we te eten hadden.

De boerin zei: 'Klaas, als er ruilers komen, alleen maar een step of Chinees porselein.' Henk en ik sliepen met z'n tween in een bedstee met slechts een dun tussenschot tussen onze bedstee en die van de boer en z'n vrouw. Soms konden wij ze horen praten.

De vrouw: 'Moet ge nog in den vleeze?'

'Nee,' zei de boer.

'Dan ga ik in den Heere.'

En dan hoorden wij haar steunend op de knieën gaan om te bidden. Ik vrat de punt van het laken op om mijn lachen te smoren.

Ik bleef daar een jaar, ondergoed had ik niet meer, enkel die overall. De Wieringermeer ging onder water, de dijk werd door de Duitsers lek geschoten, er kwam drie meter water te staan waardoor veel boerderijen werden verwoest. Toen de bevrijding naderde, liep ik van Middenmeer naar het Oude Land, het land buiten de dijken waar Schagen en Alkmaar in liggen. Tweeëneenhalve dag heb ik gelopen. Bij de Hembrug was ik een ogenblik bang dat wij gepakt zouden worden, maar ik genoot van de bloesems aan de vruchtbomen.

De bevrijding werd een feit. In mijn overall en met de legerlaarzen aan mijn voeten ging ik samen met Anna naar de kerk. Ik had een rood-wit-blauw vlaggetje in mijn borstzak gestoken en de mensen in de kerk draaiden hun hoofd om omdat zij dachten dat Anna een Canadees aan de haak had geslagen. In die overall en op die legerlaarzen heb ik hele nachten door gedanst, witte nachten, waarin ik niet sliep.

Waarom ben ik toen niet uitgebroken? Ik had als boerenknecht de kost kunnen verdienen, geld sparen en emigreren naar Amerika of Australië. Maar nee, als een hond keerde ik met de staart tussen de benen naar mijn oude hok terug. Ik bleek niet over mijzelf te kunnen beschikken. Mijn vader had tenminste nog de zee als bondgenoot gehad, op zee had hij vrijheid gevonden, maar mij had hij die gesel in de hand gegeven om mijzelf mee te tuchtigen: de God die alles ziet. Ik moest in het gareel en Maat haalde het bit in de mond nog strakker aan.

Ik trouwde toen ik dertig was omdat ik een normale man wilde zijn met vrouw en kinderen. Ik wenste niet langer een consumptieartikel te zijn, opgepakt en leeg achtergelaten als een koffiebekertje in een treincoupé. Al dat gezwalk tussen de ene begeerte en de andere, tussen miezerige triomf en afgang, steeds weer ten prooi aan minderwaardigheidsgevoelens, resulteerde uiteindelijk in niets dan een zee van leegte.

In die zee dobberde evenwel een reddingsboei. Die dobberde daar vanaf dat ik zestien jaar was zonder dat ik mij daarvan bewust was geweest. De reddingsboei heette Anna, mij vertrouwd als geen ander en daardoor vanzelfsprekend over het hoofd gezien. Vanaf haar dertiende jaar. Het blonde meisje dat samen met mij de tekenlessen van Bert en Mien Koppenhagen volgde, net als ik gepassioneerd bezig om de macht en het mysterie van het tekenstift te doorgronden, het vriendinnetje met wie ik in de duinen had gewandeld om veldbloemen te determineren en die de pluisjes van de zeeraket uit mijn haar plukte; samen op de fiets tegen de wind in, waarbij mijn frustraties over mijn dubbelheid en mijn onvrijheid kortstondig leken weg te waaien. Rode wangen naast de mijne, haar ongekuste mond. Twee vrienden. Anna opgroeiend tot jonge vrouw. Naast mij in mijn overall en op mijn Duitse legerlaarzen de kerk binnen lopend om de bevrijding te vieren. Met mij wedijverend om met de hoogste cijfers de Lagere Akte Tekenen te halen en later de Middelbare Akte, mij stimulerend tot mijn beste prestaties.

Opeens gingen mij de ogen open en zag ik Anna. Ik pakte haar stevige gebruinde handen, kuste haar gepermanente blonde kopje met de verstandige ogen. Ik huurde een roei-boot om met haar over de Loosdrechtse plassen te roeien. Ik vroeg: 'Zit je wel lekker? Wil je een kussentje in je rug?' Helemaal de charmeur, de hoffelijke ridder.

'Doe niet zo vermoeiend,' gaf ze van repliek. Een koude douche. Zij wilde mijn fratsen niet. Ik heb altijd de knappe kerel willen uithangen, de flirt, de aangename man, maar Anna zei: 'Stop met die flauwekul.' Of ze zei: 'Waarom vertel je al die leugens? Je doet jezelf onrecht.'

Ze wilde niet de veinzer, de opschepper, de verhalenver-teller, zij wilde degene die ikzelf nog nauwelijks kende, zij had met dat ronde stalen brilletje van haar als een schooljuf in mijn ziel gekeken en besloten wat er van waarde in mij aanwezig was: verbeeldingskracht, mijn oog voor de schoon-heid van aardse dingen, mijn verlangen naar liefde. Maar zij voorzag niet dat dit laatste een tweesnijdend zwaard zou zijn. Haar innerlijk was als een eenvoudige plattelandskerk met sobere gewelven, een kerk voor de rust van de ziel, niet een barok godshuis vol cherubijnen met billen als kadetten om in te bijten en met de satan ergens verborgen in een duistere hoek. Haar ziel kende geen duisternis en daarom zag zij die ook niet in de mijne.

In de bezettingstijd liep ik eens met Anna over straat toen er een razzia werd gehouden. De Duitsers pakten jongens op voor de *Arbeitseinsatz*. Anna bij de arm pakkend drukte ik mij stijf tegen haar aan, terwijl ik trekkebenend begon te lopen alsof ik spastisch was. 'Wat doe je?' vroeg Anna ver-schrikt. 'Hou je stil,' beet ik haar toe. Ik liet mijn mond openzakken en mijn tong naar buiten komen, boog mijn hoofd terwijl ik mijn ogen liet ronddwalen zonder mijn blik ergens op te focussen. Mijn lichaam gehoorzaamde feilloos aan het beeld dat ik op dat moment van mijzelf opbouwde, het werd het lichaam van een spastische stakker. 'De toneel-speler in jou is groot,' ik hoor het Maat nog zeggen.

De Duitsers lieten de toneelspeler aan de arm van Anna doorlopen zonder ons een strobreed in de weg te leggen. Eenmaal thuis triomfeerde ik en gaf voor mijn huisgenoten een voorstelling van het gebeurde ten beste. Een frons ver-scheen tussen Anna's ogen. Het had haar ontsteld dat ik in een handomdraai overtuigend iemand anders kon worden.

Nog nooit was ik verliefd geweest op een vrouw, en zelfs op haar was ik niet echt verliefd. Was zij verliefd op mij? Ze zei: 'Ik ben verliefd op de man die jij in de toekomst zult worden.'

'Waarom niet op de man van nu?' vroeg ik.

'Die moet nog afgepeld worden,' zei ze. 'Ik wil weten wat er binnenin zit, binnenin de noot.'

Ik keek sip, veronderstel ik, want ze sloeg lachend haar armen om mij heen en zei: 'Nee, natuurlijk ben ik verliefd op je...'

Ik was daar niet zo zeker van, omdat ik zelf onzekerheid kende. Maar in haar weer ernstig geworden blik stond te lezen: ik zal altijd bij je blijven, en de lijn naar de toekomst slingerde zich terzelfder tijd terug het verleden in, naar het meisje van dertien dat het tekenlokaal van Bert en Mien Koppenhagen binnen stapte. Vanaf die tijd was zij er ge-weest, in mijn leven.

Op Indiase miniaturen zie je afbeeldingen van goden en go-dinnen, van liefdespartners, die zozeer op elkaar lijken dat men het verschil in geslacht nauwelijks kan zien: hun fijne gezichten en soepele ledematen naderen elkaar en vloeien in elkaar over. Het is amper duidelijk van wie de hand is die de penis omvat, de erectie koestert of de tepel aanraakt, van wie de monden zijn die elkaar zoeken. Soms zie je een hele Gordiaanse knoop van lichamen die zich met een bijna kuis smullen aan elkaar overgeven in dat gelijktijdig aanwezig zijn van manlijke en vrouwelijke vormen. Zou dat misschien een van de geheimen van de liefde wezen? vraag ik mij af. Verschuilt zich in de duistere schuilplaatsen van de liefde een onvervulbaar verlangen om aan elkaar gelijk te worden?

Nadat ik eenmaal de paniek had overwonnen die mij overviel bij het benaderen van Anna's vrouwenlichaam en ik geleerd had hoe dat te bespelen, ontpopte ik mij als een goede minnaar die aan alle verlangens van Anna trachtte tegemoet te komen. Ik speelde geen rol, nee, de beide helften van mijn persoonlijkheid vloeiden eenvoudigweg soepel in elkaar over. Ik kon goed wachten tot ook zij haar hoogtepunt had bereikt, en zelfs nog langer, ik vertaalde de vibraties van haar lichaam. Ik was de man, maar ik dacht me in wat zij voelde, ik wérd haar, ik was tegelijkertijd een vrouw.

Ik ervoer het als een triomf toen ik kinderen kreeg, ik was een vader en droeg verantwoordelijkheid. Ik herinner me hoe mijn eerste kind, mijn dochter Lotte, geboren werd en hoe dat kleine wurm dat zojuist tussen Anna's benen vandaan het leven in was gegleden, haar armpje in de hoogte stak: IK BEN ER. Een overwinning op de dood. Een brandschoon nieuw wezentje begon zijn reis door het leven. Ik baadde het, wiegde het in mijn armen, ik voelde mezelf net zo nieuw en zo schoon als die zuigeling.

(Tussen mannen wordt het zaad verspild, daar vindt het geen vruchtbare voedingsbodem en sterft in een zakdoek of handdoek. Verdwaald zaad, dat is voor mij altijd een thema geweest in mijn werk. Zaad van planten dat wegwaait en niet kan wortelen.)

Na Lotte volgden er twee zonen. Ik koesterde de baby's als een vrouw, en dan moest ik bedenken: hoe is een vader? Die is ruwer, die gooit zijn kinderen in de lucht, die leert ze schaatsen, voetballen, dat is vaderwerk.

Anna gaf evenals ik tekenles op een middelbare school en daarom bleef ik twee dagen in de week thuis om het huishouden te doen. Wij waren onze tijd vooruit. 's Maandags deed ik de was en hing die in de wind te wapperen. Als het droog weer was, kon ik dezelfde dag de strijk nog doen. Ik rook de ozon die aan het schone goed hing, ik had er plezier in het op keurige stapeltjes te leggen. In veel dingen vervulde Anna de vaderrol: zij onderhield contacten met de buitenwereld, zij deed de belastingen, later leerde zij chaufferen.

Een tijdlang ging het goed met Anna en ons gezin. Ik was zo door de daagse realiteit in beslag genomen dat ik aan het verwerken daarvan niet toekwam. Achteraf bezien komt het mij voor of ik mij in die periode door een zonnige nevel bewoog, waarin voortdurend onbekende dingen op mij afkwamen en waarin het onmogelijk was in de verte te zien.

Maar bij de geboorte van onze jongste kwam het terug. Daar aan het kraambed. Het is toch al iets orgastisch, iets erotisch, zo'n geboorte, maar dit keer was de dokter een jongeman. Het leek alsof wij een driehoeksverhouding hadden, zo intiem was die jongeman betrokken bij wat voortvloeide uit de gemeenschap van Anna en mij. Ik zag zijn fijne handen over haar gezwollen buik tasten en in haar schaamdeel reiken om het spartelende stukje leven eruit te trekken.

Na de geboorte ging hij niet meteen naar huis, wij zaten

in de lentenacht in de tuin en ik bakte eieren voor hem. De bloesems geurden, de atmosfeer was zwoel en de gedachte speelde door mij heen hoe het zou zijn om hem te omhelzen en te bevredigen.

De zomer brak aan en Anna zei: 'Ik kan niet mee met die kleine kinderen. Ga jij maar alleen met vakantie, dat heb je nodig.'

Goed, ik ging op de fiets op weg naar Terneuzen waar ik familie had wonen. Maar ik kwam niet verder dan Zierikzee. Daar ontmoette ik een jonge kweker. Hij stond tussen zijn bloemen in een grote tuin, de tuin van mijn zondeval. Hij was tweeëntwintig jaar en had zichzelf nog niet ontdekt. Wij zwommen in de Oosterschelde en lagen te zonnen op onze handdoeken, kusten elkaar, alles volstrekt vanzelfsprekend. Tien dagen lang ben ik bij hem gebleven.

Met de tent achterop mijn fiets reed ik door de Goudsbloemlaan terug naar huis en daar zie ik Anna lopen in een wijde groene rok met een kind aan de hand en het tweede op de arm. Dat beeld slaat als een bliksem bij mij in.

Anna vindt mij morbide, ze zegt dat ik mij te veel met de dood bezighoud. Toch beleef ik iedere dag alsof ik het eeuwige leven heb, hoewel ik mij ervan bewust ben dat die evengoed mijn laatste kan zijn. 'Filosofie is niets anders dan je op de dood voorbereiden,' zegt Cicero.

Hoe zou ik dood willen gaan? Liefst terwijl ik aan het werk ben maar dat is een vrome wens, dat wil iedereen. Wat te doen met mijn lijk? Dat lichaam dat je achterlaat en dat door wormen wordt opgevreten – het was je jas, het heeft je toch goede diensten bewezen.

Negen maanden doe je erover om van niets een afgerond wezen te worden… in de grond begraven worden, dat is de weg terug, misschien is er tijd nodig… crematie is zo abrupt.

In de veertiende eeuw was het een tijdlang mode om je te laten portretteren als kadaver waarin de maden krioelden. Daar hadden die middeleeuwers toen aardigheid in, of wellicht was het een memento mori, het maakte de mensen bewust van hun stoffelijkheid.

Vandaag heb ik een beroerde dag, er wil niets uit mijn handen komen. Al dagenlang ben ik aan het worstelen met verbeeldingen die opdoemen en die ik weer afkeur en waarvan het materiaal in het vuilnisvat belandt.

Ik wil Charon maken, de morsige veerman, zoals Vergilius hem noemt, de schimmenbegeleider die zijn passagiers in zijn

wrakke schuit over de Styx boomt. Soms zie ik zijn zwarte scha-
duw die de enorme vaarboom hanteert. Maar hoe een schaduw
weer te geven? hoe het gezichtloze een gezicht te geven?

Charon, zeg ik, als ik jouw portret maak, wil je mij dan
naar de overkant varen zonder spijt en zonder pijn? Maar die
lepe ouwe bootsman laat zich niet beetnemen, hij laat zich niet
vangen in de draden van mijn kleed.

~

'Deze dag markeer ik met een witte steen', schreef ik in mijn dagboek, in navolging van de Romeinen die in een witte steen het symbool voor een fortuinlijke dag zagen. Ik stapte uit de trein in het Gare du Nord en voelde hoe mijn borstkas zich verwijdde. Geen Goudsbloemlaan meer, geen Tomatenstraat, maar Champs Elysées, Quartier Latin, Montparnasse, namen waarvan de klank alleen al mijn hartstocht deed ontvlammen. Ik liep en keek en keek – ik ben altijd een kijker geweest. Ik zag duiven over het plaveisel rennen en flics die met een witte knuppel en dito handschoenen als in een operette het verkeer stonden te regelen, ik zag twee clochards achter een kinderwagen, die daarin hun handeltje verhuisden, de ochtendgeur van vochtige trottoirs drong mijn neusgaten binnen en mijn oren vulden zich met de muziek van stemmen, van voorbijgangers, ruziemakers, marktkooplui die zich leken te bekwamen voor hun rol in een opera.

Ik snoof de typische metro-lucht op van ijzerslijpsel en ranzige kaas terwijl gehaaste mensen me tussen klaphekjes door duwden, ik stapte op goed geluk een trein in op weg naar nieuwe confrontaties. Ik doolde door de kluwen van steegjes die tezamen St-Germain-des-Prés vormen, de oude wijk van de filosofen en filistijnen, kijkend met mijn hoofd in mijn nek naar de turkooizen en roze blinden, de daken met hun potvormige aarden schoorstenen; tuurde provinciaals aandoende winkeltjes binnen waar bezems, manden en

borden van aardewerk uitgestald stonden. Op een zakdoek-
groot terrasje dronk ik een petit café, inhaleerde de kruidige
rook van een Gauloise, zittend op een rotanstoeltje te midden van dat nooit tot stilstand komende raderwerk van de
metropool. Verbeelding en werkelijkheid leken samen te vallen en op dat raakvlak tintelde ik van springlevendheid. Hier
hoor ik thuis, dacht ik. Alles rondom mij ademde vrijheid
uit en die, zo nam ik mij voor, zou ik tot de laatste druppel
indrinken.

Voor het eerst in mijn leven was mij de mogelijkheid geboden om in Parijs te exposeren. Mijn wandkleden hingen in
de Galerie Art Nouveau die zich in de Rue Ste-Anne bevond
(dat die straat uitgerekend de naam van Anna moest dragen
vond ik op z'n minst curieus), een straat die uitkomt op de
Avenue de l'Opéra.
    Daags na de vernissage liep ik de galerie binnen om te
zien of er al iets was verkocht. Ik praatte een ogenblik met de
eigenaresse, onderwijl de ruimte in kijkend die door een
boogvormige doorgang in verbinding stond met een tweede
zaal daarachter. Tot mijn verrassing zag ik hoe mijn
wandkleden iets frivools uitstraalden alsof ook zij er plezier
in hadden in Parijs te zijn.
    Aan een tafeltje bij de ingang waar de entreebiljetten wer-
den verkocht, zat een jeugdig persoon in het gastenboek te
schrijven. Een magere hand met afgebeten nagels bewoog
zich met zoekende traagheid over het papier, blond haar viel
over zijn gezicht naar voren en ik zag het bewegen van zijn
adamsappel in zijn open hemd. Gebiologeerd keek ik toe, ik
voelde hoe mijn hartslag zich versnelde. Tegelijkertijd vlamde er een waarschuwingssignaal op: 'Niet op ingaan... Niet
weer, niet opnieuw die verwarring...' Hij keek echter al op,

gehinderd in zijn concentratie. Het moest een gedicht zijn dat hij had opgetekend, hoewel ik de woorden in het Frans en op hun kop niet kon ontcijferen. Ik keerde me af en liep naar de uitgang, het leek een vlucht. Maar de poten van zijn stoel schraapten al over de vloer en ik voelde zijn hand op mijn arm. 'Vous êtes monsieur Ssschaink? L'artiste lui-même?'

Hij bedolf me onder een muzikale lawine van woorden, pakte het gastenboek en hield dat onder mijn neus. Hoewel ik tittel noch jota van zijn gedicht begreep, besefte ik dat er sprake moest zijn van een *révélation*.

De oude slang, mijn begeerte, die zolang in slaap gesust was geweest, stak zijn kop op. Er was al geen weg meer terug. Hij heette Marcel. Dat gezicht en die naam zullen mij niet meer verlaten. In het kabinet van mijn Scheveningse vissershuis hangt zijn portret nog altijd tegen de binnenkant van de deur, in het donker van de kast te midden van de foto's van mijn andere geliefden en samen opgeborgen met de lappen en knotten wol die ik gebruik voor mijn kleden.

Hij liep met mij door de galerie en het leek wel of mijn verbeeldingen daar aan de muren door zijn geestdrift werden verjongd alsof ze zojuist aan mijn inspiratie waren ontsproten. In mijn geest hangen ze daar nog, gefixeerd door zijn woorden en overspoeld door de najaarszon. Onveranderd, hoewel ze stuk voor stuk verkocht zijn en naar mij onbekende eigenaars zijn gegaan.

Plotseling zei hij met enige moeite: 'Mag ik u een diner aanbieden?'

Een blos trok over zijn wangen en gelijktijdig verscheen er een gepijnigde trek rond zijn mond. Wapende hij zich tegen een afwimpeling mijnerzijds? In een impuls greep ik hem bij de hand en zei: 'Jij mag alleen het aperitief betalen. Je bent maar een arme student.'

Die avond dineren wij samen in restaurant Chez les Anges, in een eetzaaltje dat amper plaats biedt aan zes tafeltjes en waarvan de aangrenzende keuken niet groter is dan een klein kabinet. Madame, de kookster, die daaruit opdoemt, bezit echter het air van een gravin. Zij raadt ons aan een brandade van kabeljauw te nemen, overgoten met een roomsaus waarin de smaak van de zee wordt samengevoegd met die van knoflook en olijfolie, en die gegarneerd wordt met puree in grote schelpen en worteltjes. Ze kust haar vingertoppen. Terwijl ze ons bedient kijkt ze met genoegen naar de manier waarop wij toetasten. Ze geeft ons haar zegen door te zeggen: 'Ah, on est jeune pour si peu de temps...'

Ik heb een fles bourgogne laten aanrukken die met rode lak is afgesloten, een mooie oude wijn. Niets is mij te kostbaar voor hem. Of voor mijzelf? Aan de jeugd is dure wijn niet besteed. Ik daarentegen heb een heel leven in te halen, een leven van gemis op gemis, ik moet die holten van gemis met rode wijn volgieten. Zoals ik me ook volgiet met hem. Ik drink hem toe, keer op keer. 'Er zou geen seks bestaan wanneer er geen schoonheid bestond.' Was het Michelangelo niet die dat zei? Samen met de wijn die mijn verhemelte liefkoost en mijn inwendige in vlam zet, drink ik hem in.

Ik kijk naar de adamsappel in zijn hals. Zonderling onschuldig, maar krachtig en begeerlijk, met mijn vingertoppen beroer ik die even. Schrikt hij van mijn gebaar? Heeft hij ervaring? Ongetwijfeld heeft hij ervaring. Hij heeft mij versierd, zoals ik vroeger oudere mannen versierde, de rollen zijn nu omgedraaid. Nu ben ik de oudere man, balancerend op de grens van jeugd en bedaagdheid. Maar dit is Parijs, de stad waarin liefdesdranken gebrouwen worden.

Toch ligt er pijn op de bodem van zijn ogen. Omdat de aankondiging van liefde altijd met pijn gepaard gaat? Een wond slaat in het oppervlak van een jeugdig gemoed? Die pijn heb ik veroorzaakt, denk ik, trots en vertederd. Niet beseffend dat die pijn als een boemerang met vermenigvuldigde kracht naar mij terug zal keren.

Nacht valt over Parijs en uit hun schuilhoeken komen de nachtvlinders tevoorschijn en dwarrelen door het licht dat uit bars, nachtlokalen of Arabische en Griekse eethuisjes over de trottoirs valt. Op de hoek van de Rue de Rennes leunen knappe jongetjes met berekenende ogen en getuite lippen tegen een muur, wachtend op klanten. Walmen stijgen op uit putdeksels in de rijweg. Heilsoldaten staan op het trottoir hun hardnekkige krekelzang te zingen, hun bebrilde gezichten opgeheven om de voorbijgangers een laatste reddingsboei toe te werpen.

'Dit is Montparnasse,' zegt hij. 'De wijk van de poètes maudits. Rimbaud liep hier rond. En Gérard de Nerval woonde in de straat achter deze, die wandelde dagelijks een blokje om met een kreeft aan een riempje. Zal ik je wijzen waar hij zelfmoord heeft gepleegd?'

Ik zie jongens voorbijflitsen, nauwelijks van meisjes te onderscheiden, die met virtuoos gemak over de gaten in het plaveisel stappen; clochards rapen sigarettenpeuken op of lurken aan een fles en vormloze vrouwen staan in vuilnisbakken te graaien. Een politiewagen glijdt als een roofvis de straat binnen, speurend naar prooi. Als katten op fluwelen poten springen de flics eruit om in een portiek iemand bij de kladden te grijpen.

'Kijk, aan dat smeedijzeren rooster hing Gérard de Nerval zich op,' zegt Marcel. 'Dat was geen toeval, hij had die plek bewust uitgekozen, precies op de hoek van La Tuerie, de straat van de moorden, en het doodlopende steegje Impasse de la Vieille Lanterne. Vind je niet dat die man humor had?'

Humor, ja, zo kun je het bezien. Even voel ik mijn eigen levensgrote impasse op mijn borst drukken, maar daar wil ik niet aan toegeven. Er is mij toch vrijheid geboden? Ik ben net een jarenlang belegerde stad waarvan plotseling de poorten open zijn gegooid, al mijn emoties stromen naar buiten. Marcel heeft zijn arm door de mijne gestoken. Ik betrap zijn blik die door de straat dwaalt, hij groet iemand. Ziet hij een vriend? Natuurlijk, hij is hier thuis, ik kan moeilijk veronderstellen dat hij in maagdelijke afzondering op mij gewacht heeft... Ik hoor hem praten (Fransen praten omwille van de muziek van de woorden), de betekenis ontgaat mij grotendeels, dus wandel ik naast hem voort, omspoeld door die muziek. We lopen straat in straat uit, deux amoureux, en kijken roodverlichte nachtlokalen binnen, waarin onduidelijke schepsels op barkrukken zitten. We gaan de eerste de beste kroeg in. Het is er rustig, geen gebral of luide discussie, zelfs geen muziek. Of zijn mijn zintuigen verdoofd, in beslag genomen als ze zijn door mijn jeugdige kameraad? In het spiegelglas achter de bar zie ik hem weerkaatst. Ik staar naar de fijne structuur van zijn beenderen onder de bleke huid, zijn halflang blond haar. Er steekt een pakje brieven in de borstzak van zijn zwartleren jasje. Wie schrijft hem? Ik moet mijn jaloezie wegslikken. Hoe is zijn leven geweest? Ik tuur in het spiegelglas alsof dit mij iets kan openbaren omtrent mijn onbekende metgezel. Ik kijk naar de lange wimpers, de gewelfde mond die hij soms pruilend vertrekt. Zijn ogen zeggen dat hij ouder is dan ik aanvankelijk dacht. Twee-entwintig, drieëntwintig jaar? Geboren in Parijs? Mijn logge tong probeert de Franse woorden van mijn schoolvocabulaire te vormen. Ik drink glas na glas, ik wil voor hem schitteren, briljant zijn. Ben ik nog altijd een knappe vent? Ik vergewis mij daarvan via de spiegel.

We blijven lopen alsof we het ogenblik van het consumeren van deze plotselinge hartstocht willen uitstellen, onze liefde niet op één lijn willen stellen met vroegere haastige avontuurtjes. Evenmin kunnen wij afscheid van elkaar nemen. We blijven dwalen door de stiller wordende stad, waarin herfstnevel als een onbekende liefkozing uit het duister vandaan langs onze gezichten strijkt en koele pareltjes op onze lippen afzet. We lopen hand in hand en voelen ons leeg worden, almaar leger, merkwaardig kuis en elkaar voor het leven toegedaan.

Tegen de ochtend komen we aan bij de Hallen, de beroemde markt ten noorden van de Seine, waar de ochtendlijke bedrijvigheid al aan de gang is en camions als logge beesten langs het trottoir staan geparkeerd. Onder de twaalf hoge koepels van het bouwsel bevindt zich een ware orgie van voedsel. Kisten groente en fruit zijn tot miraculeuze hoogten opgestapeld, roekeloze bezorgers rijden op hun bevoorradingskarretjes door een labyrint van alle mogelijke consumptieartikelen. We slenteren door ravijnen van pruimen en appels langs een aan alle kanten door geurende tijm en munt omzoomd pad, we slurpen de traditionele hete uiensoep in een bistro, pissen in een pissoir om daarna onze tocht onvermoeibaar voort te zetten.

In de buurt van de St-Eustache zijn vleeshouwers aan het werk te midden van karkassen van koeien, paarden, varkens. Van kleinere dieren ook: schapen of geiten, daartussen valt amper onderscheid te zien nu ze van kop en vel ontdaan zijn. De karkassen hangen aan haken, heen en weer schommelend wanneer een slagersknecht zich ertussendoor wringt.

Er hangt een ondraaglijke lucht van bloed en vochtige darmen, slagers staan op klompen in het bloed, de armen rood tot aan de elleboog, terwijl zij de ontzielde beesten van aars tot kop openklieven en met lange messen en hakbijlen te lijf gaan. Marcel deinst terug, maar nieuwsgierigheid drijft mij voort langs gootjes waarin bloed stroomt als water in een beek, dieper het inferno in. Ik wenk hem. Met een gekweld gezicht volgt hij mij, behoedzaam lopend om het slagersgeweld uit de weg te gaan, zijn broekspijpen omgeslagen.

Waarom lok ik hem mee? Beschouw ik dit gebeuren als een soort initiatie-ritueel? Zal hij hier manbaarder uit tevoorschijn komen? Of ben ik het die gelouterd moet worden door deze hallen van bloed en dood binnen te gaan?

Mijn beloning komt in de gestalte van Notre Dame du Boucher, de Madonna van de Slager, die achter de bedrijvigheid van de slacht op een houten voetstuk staat. Aan haar voeten liggen ontvelde koeienkoppen die, op een rij gelegd, met hun glazige ogen naar haar omhoog staren alsof zij alsnog gratie verwachten. Zwarte schaduwen van uitvergrote slagers bewegen over haar heen onder het naakte licht van een elektrisch peertje en nu zie ik dat er spijkers in haar houten voetstuk zijn geslagen waaraan beduimelde briefjes hangen met de dagprijzen van het vlees: varkensvlees doet dit of dat vandaag, karbonaden, lendenstukken zoveel, darmen en pens afgeprijsd. Met lege ogen kijkt de Madonna in de verte en houdt haar kind uitgetild boven het bloedig handwerk van haar beschermelingen. Haar rok zit onder de opgespatte bloedklodders.

Tien jaar later zal dat beeld van de bebloede Notre Dame du Boucher boven komen drijven en ben ik in staat mijn visioen vorm te geven. 'Het gruwelijke grenst aan het schone', schreef de Japanse schrijver Mishima. Zelf is hij in gruwel en schoonheid, in rood bloed, gezeten op zijn smetteloze tatami gestorven nadat hij zijn zwaard op rituele wijze in zijn ingewanden had geplant.

Ook voor mij hebben gruwel en schoonheid altijd dicht tegen elkaar aan gelegen. In Bussum, waar wij woonden, lagen de vloeivelden direct naast het viooltjesland. Toentertijd bestond er nog geen riolering buiten de bebouwde kom, de menselijke excrementen kwamen in beerputten terecht, die eens in het halfjaar geleegd werden en naar de vloeivelden gebracht. Deze stonken verschrikkelijk en wemelden van de blauwe aasvliegen en in de zomer vormde zich daarop een harde korst die tijdens droogte barsten vertoonde. Wij, jongens, vonden het een spannend spel om te proberen eroverheen te lopen zonder in de smurrie daaronder weg te zakken. Op het zoetgeurende viooltjesland bleken de wilde bloempjes goed te aarden in de stank van de vloeivelden.

Afbraak, dood en verdorvenheid hebben mij mijn leven lang gefascineerd. Ik verlangde altijd naar zuiverheid, naar schoonheid, maar iets in de verborgenheid van mijn ziel trok mij naar de zelfkant, de goorheid van het bestaan. Altijd was er die spanning, dat gevecht.

Ik maakte een groot doek met daarop mijn Slager, een simpele vorm met een dikke kop. Achter hem, bijna alsof zij uit zijn schedel oprijst, staat de Madonna, samen met haar kind in grijze windsels gewikkeld als een mummie, een kegelvormige gestalte, die van een afstand gezien iets weg heeft van een kettermuts die de slager op het hoofd is gezet. Toen het doek was voltooid,

was ik niet tevreden. Ik knielde ernaast op de grond en spatte
rode verf als bloedspetters over het slagersvoorschoot, over de dik-
ke nek en de wang. Dat verbond de beul met het Lam Gods.

Wij veranderen wijn in bloed en drinken het. In naam van
Christus, de gemartelde, is er gemarteld. Vrijheid, bloed, offer –
wat is hun verwantschap? vraag ik mij af. Wat hun tegen-
spraak?

Die eerste nacht in Parijs eindigde op de Pont Neuf om zes
uur in de ochtend. Uitgeput zakten we neer op een van de
stenen banken die in de brugleuning zijn uitgespaard. Marcel legde zijn hoofd op mijn schoot en sliep meteen in. Om
dit ogenblik zolang mogelijk te rekken hield ik mij onbeweeglijk, hoewel de stenen zitting mij lelijk pijn begon te
doen. Het was koud, met het eerste licht was de ochtend-
wind opgestoken – alleen waar Marcel tegen mijn lichaam
aan lag voelde ik dat ik leefde. Ik probeerde de voorbije
nacht terug te roepen, te herleven in ieder detail, maar ook
ik werd slaperig, mijn hoofd begon naar beneden te bungelen, net als de briefjes van de slager op het voetstuk van de
Madonna: de prijs is zo- en zoveel...

Voor deze liefde, wist ik, zou ik elke prijs betalen.

Marcel zei: 'Jouw Frans lijkt naar niks. We gaan beginnen
met kleine zinnetjes: Je mange une pomme, tu regardes une
fleur.' Nederig begin ik aan de pomme en de fleur. De rollen
waren opeens omgedraaid: hij de leraar, ik de leerling. Ik
koesterde de woorden op mijn tong, omdat zij van hem
kwamen, de naaktheid van mijn begeerte werd in Franse
klanken verpakt zodat de heftigheid ervan werd ingetoomd.
Nog altijd was ik de oudere, de meer ervarene, maar ik werd
gereduceerd tot een schoolkind met die vreemde woorden in

mijn mond. Mij iets leren zou een geliefkoosde bezigheid van Marcel worden, omdat hij mijn verlangen kon prikkelen door mij zijn lippen en zijn mond vol sterke tanden te tonen, terwijl hij liet zien hoe de diverse klanken gevormd dienden te worden.

In feite was ik niet toe aan het leren van een vreemde taal. Ik wilde de taal van zijn lichaam leren kennen, ik wilde zijn ledematen zien in de ochtendzon, of achter de dichte blinden terwijl vroege vogels in de dakgoot scharrelden, ik wilde de ondertoon van lachen horen in zijn stem. Naar dat alles verlangde ik en ik had haast, want de trein op het Gare du Nord was nooit volledig uit mijn gedachten.

Ik was onzekerder dan hij, verscheurder, aangeland als ik was op de helft van mijn leven (gekoppeld nota bene aan een gezin van welks bestaan hij geen weet had). Ik voorvoelde dat deze ontmoeting een diep schisma in mijn leven zou veroorzaken en het in tweeën zou splijten in een ervoor en erna. Toch aanvaardde ik de noodlottigheid van deze liefde, omdat die mij paste en in mijn binnenste samenklonk met de verlangens uit mijn jeugd. Dit was waar het allemaal naartoe had geleid. Wonderlijk dat mijn leven terug ging komen, achterstevoren.

Marcel was serener dan ik, minder gehaast, verwonderd door wat hem overkwam en dit wekte weer vertedering in mij en zo werden wij bekogeld door de vele aandoeningen van de liefde. Ik genoot van zijn jeugdige arrogantie, zijn onverhoedse stemmingswisselingen die ik beschouwde als lentestormen, behorend bij de jeugd. Jeugd is het grootste voorrecht, de grootste rijkdom. Ben je zelf jong, dan verspil je kostbare tijd, je leeft roekeloos, of je pijnigt je af met plannen voor de toekomst, je wilt beweging, altijd hol je naar die toekomst die een fata morgana blijkt te zijn, of een valkuil. Mijn toekomst van vroeger was een valkuil gebleken, zo althans ervoer ik het in die eerste dagen van mijn relatie met Marcel. Wel voltrok zich het merkwaardige proces dat onverwachts mijn vader terugkwam in mijn gedachten doordat ik moest denken aan de jonge zeeman die op zijn ziekbed in zijn armen had gelegen. Voor het eerst begreep ik iets van de emoties die hem parten moesten hebben gespeeld wanneer zijn koopvaarder het zeegat uit voer.

Het leek of wij nooit sliepen, die dagen. We omhelsden elkaar te pas en te onpas en zwierven de rest van de tijd door Parijs. Ik herinner me hoe we op de laatste dag van mijn verblijf samen de trappen naar de Sacré-Cœur opklommen en Marcel over zijn verleden en zijn verlangens vertelde. Hij had danser willen worden, maar had zijn bakens verzet en was aan de Sorbonne gaan studeren. Hij wilde dichter worden. Of schrijver.

Ik viel stil. Hoe hem te vertellen over mijn gezin, mijn Kweekschoolbestaan? Er viel mij niets te binnen en mijn tong weigerde de nieuw aangeleerde Franse kunststukjes te verrichten. Hoe is het mogelijk dat ik zo slecht praat, dacht ik geërgerd, en voelde me een provinciaal naast die jongen die gedichten van Baudelaire reciteerde, midden op de Place du Tertre.

'Morgen moet ik terug,' zei ik. Alsof ik onverhoeds een klap uitdeelde.

'Demain? Déjà?' Geschrokken keek hij mij aan.

Ik moest me weer een nieuw masker aanmeten. Nadat ik enkele gelukzalige dagen ongemaskerd had geleefd.

'Il faut,' zei ik.

Beter een enigma blijven, geen stuntelige uitleg geven... Mijn gezin werd iets dat mij schuldig maakte, haast potsierlijk in de gegeven omstandigheden. Later, dacht ik, later zal ik het hem vertellen, of schrijven.

'Er is tijd,' zei ik sussend. 'Tijd voor jou. Tijd voor mij. Ik kom terug.'

Die nacht huilde hij tegen mijn schouder. Laat hem maar denken dat ik een stabiele persoonlijkheid ben, dacht ik. Ik kon hem mijn schouder bieden.

De volgende dag bracht hij me naar de trein en ik overhandigde hem mijn rode zakdoek om zijn tranen mee te drogen. In de jaren die volgden wist ik regelmatig naar Parijs te ontsnappen, onder de dekmantel dat ik nieuw werk naar de galerie moest brengen of geld innen bij Crédit Lyonnais. En iedere keer gaf ik hem bij ons afscheid een rode zakdoek.

Terug in Holland beheerst hij mijn gaan en staan, mijn waken en slapen. Soms twijfel ik aan mezelf: is dit een waanbeeld? Die jongen in Parijs? Zo'n dunne draad die zoveel kilometers moet overbruggen naar iemand die ik alleen in verbeelding kan zien, kan die niet ieder ogenblik knappen?

Er komt een kattebelletje in de brievenbus vallen met een Franse postzegel erop: 'Je t'aime. Je suis triste sans toi.' Met dit Frans heb ik geen moeite, deze woorden zou ik nog begrijpen als ik tachtig was en dement.

Met behulp van een dictionaire ontraadsel ik een Frans boek, ik oefen mijn tong en doe iedere ochtend kniebuigingen (onder het ironisch oog van Anna), ik masseer mijn schedel met kastanje haartonic om mijn haar meer volume en krul te geven, ik poets me als een kater die op liefdespad gaat.

Mijn dagen worden bepaald door mijn obsessieve verlangen bij hem te zijn. Wanneer ik na schooltijd naar huis fiets, zie ik hem staan op de hoek van de Mient, zie ik zijn leren jack en eigenzinnig achterhoofd; dwars door voorbijgangers en auto's die zich gedragen alsof ze doorzichtig zijn als glas zie ik hem lopen, iets opwippend op de tenen, een manier van lopen die ik uit duizenden zou herkennen. Mijn hart slaat een slag over alsof ik lijd aan een kalverliefde. Zijn geschenk: *Les fleurs du mal* van Baudelaire draag ik altijd bij me in mijn binnenzak.

Ik lees een gedicht van Vasalis: 'Zoveel soorten van verdriet,/ik noem ze niet./ Maar één, het afstand doen en scheiden./ En niet het snijden doet zo'n pijn,/maar het afgesneden zijn.'

Afgesneden zijn, dat is op zichzelf erg genoeg, maar het zou nog draaglijk zijn als ik niet gekweld werd door het besef dat hij zich beweegt en lacht tussen jonge mensen in de tinteling van Parijs, in het erotische fluïdum van jong en verliefd zijn. Dat bewegende beeld probeer ik te ontkennen. Ik poog zijn beeltenis te fixeren, zoals ik het voor het laatst zag: in tranen op het Gare du Nord, zijn neus snuitend in mijn rode zakdoek. Zo wil ik hem blijven zien, wachtend, om weer tot leven te komen zodra mijn voet van de treeplank op het perron zal stappen.

Samen met de kinderen doe ik de afwas – als Anna kookt is de afwas voor mij, en Lotte, mijn oudste, loopt naar Anna en zegt: 'Vader huilt.' Druppels vallen uit mijn ogen alsof er inwendig iets gesmolten is. Mijn levenslange zoektocht, al de kortstondige en onbevredigende relaties met mannen zijn uitgemond in dit spel met het onmogelijke.

Ik zit in de huiskamer en werp mij fanatiek op het maken van nieuwe wandkleden. Ik ben een geïsoleerde cel te midden van het gezin, de kinderen om me heen praten over school en drinken thee, maar niets daarvan dringt tot mij door. Hun blonde hoofden zie ik komen en zich verwijderen in het licht van de lamp en ik zit daar. Ik? Er is geen ik, alleen een in zichzelf verdeeld verraderlijk wij, een Siamese tweeling met twee monden, twee levens.

Ik pijnig mijn ogen, ik wil uitsluitend mijn werk zien, ik moet mij een weg zien te banen uit deze wildernis van onvrij zijn, gebonden zijn, verslaafd zijn. Ik zie hoe de zondebok die onder mijn vingers ontstaat verraderlijke ogen heeft gekregen en een grijns rond zijn scheve bek, ik vermeng kleuren die elkaar naar het leven staan alsof ik daarmee al het andere uit kan bannen; ik zet mijn zondebok een kroon op de kop, hij is de koning, de overwinnaar. De God die alles ziet, de God van mijn vader, heb ik zijn congé gegeven, ik heb mijn zonden op de zondebok geladen en die de woestijn in gestuurd. De roes van het visioen maakt me warm, ik voel verlichting van mijn pijn.

Schuldgevoel brengt me dichterbij Anna. Ik knap karweitjes voor haar op, breng bloemen voor haar mee, ik wrik aan haar fundamenten, ik wil weten hoever haar verdenkingen gaan. Bedrieger en bedrogene worden aaneengekoppeld omdat we samen een maskerade opvoeren, ik tast haar vermoeden af en zij weer het mijne – nee, ze maakt Marcels brieven niet open, maar haar hand die de enveloppen met Franse zegels naast mijn verfpotten deponeert spreekt boekdelen. Met z'n tweeën voeren wij een strompelende dans uit rond het hete hangijzer.

Schuldig, ben ik dat? 'Laten degenen die niet weten wat voor een machtig ding verleiding is, die nooit het hete vuur van passie hebben gekend, de eerste steen werpen.' Woorden van Oscar Wilde over wiens leven en liefdes ik op aansporing van Marcel alles heb gelezen.

Gisteren kwam Anna mij met haar Fiat ophalen om samen naar Metropole te gaan waar een film over Oscar Wilde draaide, met Stephen Fry in de hoofdrol, een man die zo verbijsterend op Oscar zelf lijkt dat hij een kloon van hem had kunnen zijn. De noodlottige liefde van Wilde, Bosie, werd door een jonge blonde acteur vertolkt. Ik vergat dat hij een acteur was en dacht: zo mooi en zo wreed... Kennelijk zuchtte ik, want ik voelde hoe Anna's hand de mijne zocht en erin kneep.

In de tijd dat wij samen waren, gingen Marcel en ik op een dag naar Père Lachaise om het graf van Oscar te zoeken. Marcel had een ruikertje viooltjes meegenomen als eerbetoon voor zijn dode held. Hoewel wij een plattegrond bij ons hadden, bleek het niet eenvoudig in deze verwarrende doolhof de weg te vinden. We dwaalden rond in een explosie van stenen monstergewassen die aan de fantasie van excentrieke Parijzenaars ontsproten waren. Overal doemden grafmonumenten op in de vorm van tempels, pagoden en Romeinse villa's te midden van levensgrote of meer dan levensgrote nimfen, pelikanen en boxers. Engelen en cherubijnen in alle mogelijke uitvoeringen, sommige verweerd of beslijkt met uitwerpselen van vogels, leken ons met mollige handjes te wenken of met bolle buiken uit te dagen. Er hing een onmiskenbaar waas van erotiek in de tuin, overal slingerden doolpaadjes en klonk er gelispel van water en verliefde stemmen, witte lelies trilden in de wind, rozen gaven hun laatste gloed af. Wij grepen elkaar bij de hand en voelden de warmte van ons bloed in elkaar overgaan, een kruisbestuiving. Ik had daar dagen willen doorbrengen om al die stenen visioenen op me in te laten werken en te tekenen. Zo anders was deze begraafplaats dan die waar mijn ouders in hun rechte, kuise graven lagen. Deze beelden ademden een dermate morbide zinnelijkheid uit dat het leek of zij de dood met hun wellust hadden bekogeld en hem de dodentuin uit hadden gejaagd. En in onverwachte hoekjes troffen wij de meest onwaarschijnlijke geliefden aan die elkaar daar rendez-vous hadden gegeven.

Marcel, met zijn viooltjes in zijn hand, beet me opeens keihard in mijn oor. Ik voelde het lelletje opzwellen tot een heet klompje. Triomfantelijk keek hij naar mijn van pijn en verbazing vertrokken gezicht en zei: 'Dit is mijn merkteken. Jij bent van mij.'

De doden hadden net zomin rust. Uit wrok, omdat zij geen deel meer konden hebben aan het festijn van de zinnen, kraakten zij marmer, drukten zij met hun botten zerken omhoog, een strijd die resulteerde in een macabere dans van bouwsels. We liepen maar en liepen maar, het avondlicht begon al te versomberen. We rustten uit op de tombe van Chopin, passeerden het tweelinggraf van die onfortuinlijke gelieven: Héloïse en Abélard, en wilden onze zoektocht staken toen we de vreemdsoortige sfinx, waaronder Oscar moest liggen, ontdekten. Een sfinx vanwege de vleugels en de imposante hoofdtooi, maar terzelfder tijd ook een zwemmer door de ruimte met één dunne arm naar achteren gestrekt en de magere benen het lichaam volgend. Oscar Wilde, de raadselachtige. Tegen zijn naakte buik was een weinig imponerend geslacht te zien.

'Hij heeft zijn ballen weer terug!' riep Marcel. 'Ken je dat verhaal niet?' vroeg hij, mijn verwonderde uitdrukking ziende. 'Twee Engelse dames die hier liepen te wandelen, hebben hun verontwaardiging op hem gelucht. Ze pakten een paar stenen van de kant van de weg en sloegen daarmee zijn ballen eraf. Een opzichter vond die en bracht ze naar het hoofdkantoor.'

Marcel begon te lachen, maakte zijn viooltjes los en strooide die uit over de sfinx.

'Weet je wat er daarna gebeurd is? De bewaarder heeft ze twee jaar lang gebruikt als presse-papier. Dat zou zelfs Oscar niet hebben kunnen verzinnen. Maar hij zou er plezier om hebben gehad.'

Hij bukte zich om onder de buik van de sfinx te kijken: 'Zouden dit de authentieke ballen zijn?'

De zon gaat op boven Parijs, boven haar eeuwig jeugdig silhouet tegen de hemel. De zon gaat onder. Lente, herfst, winter. Platanen met hun bolletjes aan de naakte takken tegen een doorschijnende lucht, wit stenen muren, smeedijzeren balkonnetjes. Fijne sneeuw. Een man in een zwarte cape tussen de streng symmetrische bomenrijen in de Tuilerieën. Opeens binnenlopen in een schilderij van Monet: de verterende Place St-Sulpice met Visconti's monumentale fontein. Kastanjebomen waar nu en dan een geelbruin blad vanaf dwarrelt, gefilterd zonlicht dat over het grind en de houten banken valt. Kinderen spelen daar en bejaarde mannen zitten geleund op hun wandelstok toe te kijken. En de Seine. Stromend langs het groen van het Bois de Boulogne, waarin wij in het gras lagen, de Seine almaar doorstromend langs de kademuren die zich voegen naar de lendenen van de rivier, glooiend naar beneden, het water in, met trapjes afdalend naar een lager niveau. Op de kademuur liggen – hij naast mij uitgestrekt met zijn sandalen naast zich, kijkend naar de vissers die hun snoer in de Seine laten bungelen, naar beneden turend, pet op het hoofd. Iemand heeft met zwart krijt op de stenen muur geschreven: *Ni Dieu, ni Maître.* Een geestverwant die zich net zo bevrijd voelt als ik. Een hoerenmadam zit op een ijzeren stoeltje, pothoed op het hoofd, met speelkaarten tussen de zwaar beringde vingers en een peilende blik naar haar tegenstander – een leven ingesleten in de holten van de wereldstad, een oude octopus, levend van geil mensenvlees. En in de Crazy Saloon dansen de revuemeisjes tot het ochtendgloren, enkel gekleed in leren riemen en een hondenhalsband: Vanilla Banana, Polly Underground, Greta Fahrenheit, naakt onder haar parelsnoeren. Montparnasse, door studenten de Parnassus genoemd, een voormalige stortplaats van grind en puin, een verzamelplaats waar ze bijeenkomen om te drinken, te vrijen, gedichten voor te dragen... Parijs, megaster, aan en uit fonkelend aan mijn nachthemel.

Jaren duurde het. Dat is meer dan waarop een gewone sterveling mag hopen. Uiteindelijk gaf ik opening van zaken en vertelde Anna van het bestaan van Marcel (hetgeen haar niet verraste) en Marcel sprak ik over het bestaan van Anna en de kinderen. Anna (typisch Anna) zei: 'Breng die jongen eens mee, laat hem hier logeren. Hij kan makkelijk in het tuinhuisje slapen.'

Was dit een van haar opwellingen van ruimhartigheid of was het slimheid? Ik was zo dom om erop in te gaan. Er werd een dimensie weggenomen van mijn liefde, want daar zat hij opeens, Marcel, tussen mijn kinderen alsof hij onze oudste zoon.was. Terwille van de kinderen moest ik een andere toon tegen hem aanslaan en een nieuw ingewikkeld maskerspel spelen. Het spel dat een student, die vader in Parijs heeft ontmoet, een weekendje mag komen logeren. Anna vond hem nog aardig ook, of gaf voor hem aardig te vinden. Ik had geen vat op haar, ik gleed af op haar spekgladde harnas van redelijkheid. Waarschijnlijk had ik gehoopt dat het conflict die geheime etterbuil zou openbreken, dat we elkaar borden naar het hoofd zouden gooien, elkaar, alle drie, naar het leven zouden staan en vreselijk huilen. Maar nee, we moesten de schijn ophouden. Ik ging met Marcel fietsen of wandelde met hem op de pier van Scheveningen. Hij werd stil en humeurig en ik probeerde zijn aandacht terug te winnen door opgedirkte verhalen en leugens te vertellen over mijn jeugd en avonturen gedurende de oorlog. Opeens besefte ik hoezeer ik op die andere Willem, mijn vader, was gaan lijken. Ik had anders willen zijn, ik had hem verworpen, maar nu scheen het mij toe of hij bulderend van het lachen vanuit mijn genen omhoog kwam wellen en mij alsnog te pakken nam.

Ik nodigde Marcel uit om met mij te gaan eten bij de Chinees in de Frederik Hendriklaan. Ik had beter gedaan hem mee te nemen naar een exotisch eettentje in Amsterdam in plaats van naar dit eethuis vol goudvissen, grijze Haagse hoofden en lampions. Ik voelde me ineenschrompelen tot een burgermannetje. Poogde weer uit die put omhoog te klimmen door op gekunstelde toon te vertellen over een nieuw wandkleed waaraan ik bezig was – althans dat beoogde ik. Ik wilde iets duidelijk maken over het vuur dat door me heen joeg, over mijn concept van kleuren en vormen, maar ik dwaalde af en begon te praten over de moeilijkheden in mijn gezinsleven. Kieskauwend woelde ik met mijn vork door bamislierten, zonder er veel van door mijn keel te kunnen krijgen en op een gegeven moment hoorde ik mezelf een liefdesverklaring ten beste geven aan de taugé op mijn bord. Dat die tere kiemplantjes toch eigenlijk hadden moeten wortelen en zaad hadden moeten voortbrengen, maar nu gegeten werden. 'Ik zou erom kunnen huilen,' zei ik. Was ik dronken door dat onnozele kruikje sake? Een bevreemde blik van Marcel schampte mij en ik zag mezelf door zijn ogen: een oud wijf, een bizarre, ouder wordende homo. Tegenover mij zat een nieuw uitdagend wezen, met een krulling van leedvermaak in de hoek van zijn mond, die mij kleinmaakte, mij, een man in zijn midlifecrisis, met zijn afgesleten huid, zijn duffe bestaan. En ik keek naar hem, met mijn taugé-tranen nog in de ogen en dacht: er kleeft iets fataals aan ons samenzijn, onze liefde. Waarom is hij zo mooi? Zo hardnekkig wonderbaarlijk?

'Ik wil voor de rest van mijn leven met jou samenleven,' zei ik. 'Als ik genoeg verdien met mijn wandkleden, huren wij een huisje op Korfoe of op een ander betoverend eiland. Jij mag wonen waar je wil, in welk land je maar wil...'

Hij reageerde niet. Hij zei dat hij nog even de kroeg in wilde.

Mijn woede joeg mij angst aan. Ik probeerde in de slaap mijn woede te ontvluchten, maar die breidde zich uit als een overstroming. Woede die zich richtte tegen Marcel, tegen Anna. Mijzelf. Anna, omdat ze mijn nieuwe vrijheid, mijn tweede jeugd in de weg stond.

'Waarom begin je steeds weer met die jonge jongens?' vroeg ze.

'Omdat ik een bewonderaar ben van jeugd.'

'Ik vind dat armoedig. Jij bent een rijpe man, je hebt meer in je mars dan zo'n jongen. Er klopt iets niet.'

'Hoezo klopt er iets niet?' vroeg ik, vol tegenzin mijzelf of hem te moeten verdedigen.

'Het is geen gelijkwaardige verhouding.'

'Wat wil je daarmee zeggen?'

'Je hoeft me niet zo kwaad aan te kijken...'

'Ik ben een probleem waarvoor geen oplossing bestaat, dat is wat je denkt.'

'Dat heb ik nooit gezegd. Je kunt met Marcel toch je gang gaan, ik leg je geen strobreed in de weg.'

'Jij zegt nooit wat je denkt. Praat tegen me. Praat. Zeg wat je op je hart hebt.'

'We hebben het langgeleden doorgepraat. Ik heb de consequenties aanvaard.'

'Voel je dan niks? Begrijp je niks?'

Anna draaide zich om en zei geen woord meer.

Uren later viel ik in slaap. Zag zijn gezicht, duidelijk, minder duidelijk, vervormd. Voelde het kloppen van mijn pols in mijn arm, sterk, hamerend. De hamerslag van mijn woede. Toen ik wakker werd, deden mijn vuisten pijn van het vertwijfeld samenballen gedurende mijn slaap. Precies zoals mijn vader zijn handen gebald had gehouden tijdens de dagen waarin hij in coma lag. 'Hij laat zich niet gaan,' had Scholastica gezegd, 'hij laat niet los.'

Net een bulterriër, dacht ik toen.

Mijn trein liep het Gare du Nord binnen. Deze keer echter popelde ik niet om uit te stappen, of beter: ik beheerste me en bleef talmen in mijn wagon, kijkend naar de reizigers die over het perron stroomden. Ik wilde Marcel op de proef stellen en zien of hij verontrust naar mij zou zoeken en de passerende gezichten af zou speuren op zoek naar het mijne. Of hij langs de trein zou komen rennen. Het duurde. De laatste passagiers druppelden weg over het perron. Hoe vaak had ik mij niet ingedacht dat hij er niet zou zijn? Geagiteerd drukte ik de kruk van de coupédeur naar beneden en liet een voet op de treeplank zakken. Ineens zie ik hem, gejaagd de wagons binnenkijkend. Ik weerhoud mij ervan naar hem te zwaaien, op hem toe te spurten. Ik focus mijn blik op dat kleine beeld tussen de mensenmassa en hoewel ik hem nog nauwelijks kan zien, haal ik me de harde kaaklijn voor de geest waarover de huid zich spant, het kuiltje in zijn kin, zijn adamsappel.

Hij ontdekt me, verbazing op zijn gezicht, direct gevolgd door een zegevierend lachje. Dus toch, hij is er, zie ik hem denken. Waarom moet ik ook zo'n infantiel spelletje met hem spelen? Wat is er in me gevaren? Hij is er, dat is alles waar het op aankomt. De lach breidt zich uit over zijn gezicht, breeduit, als de lach van de zon op een kindertekening.

Hij neemt mij mee naar zijn studentenkamer in de Cité Universitaire. Daar wacht mij een verrassing: zo goed en zo kwaad het gaat heeft hij een maaltijd voor mij gekookt. Hij troont mij mee naar de tafel en daarop ligt een kleed samengesteld uit alle rode zakdoeken die ik hem in de loop van de tijd bij ieder afscheid gegeven heb. Zoals ik een fond maak voor mijn wandkleden, zo heeft hij een fond gemaakt voor onze liefde door alle betraande zakdoeken aan elkaar te naaien. En daarop eten wij uit aardewerken borden en drinken elkaar toe met wijn. Uit waterglazen.

In de samengeperste tijd die wij met elkaar doorbrengen bekommeren we ons om de diverse aspecten van samenleven zonder dat dit samenleven een basis krijgt in ons bestaan, want we moeten het zonder toekomst doen. We geven een geëxalteerde en uitputtende voorstelling voor elkaar. Marcel neemt mij mee naar kledingmagazijnen en boetieken in een poging om mij er vlotter uit te doen zien. Ik pas te jeugdige kleren, Indiase bloeses, een spijkerbroek, een maïsgele coltrui, waarvan ik weet dat ik die nooit zal dragen, zeker niet op de Kweekschool of in de Goudsbloemlaan. Bij mijn vertrek laat ik ze bij Marcel achter, deze metamorfosekleren. Ik paradeer voor spiegels, kijkend naar die veeleisende tiran in het glas die mij mijn leven lang heeft gebiologeerd sinds het moment dat ik mij van mezelf bewust werd in de spiegel van mijn moeders kaptafel. Meer dan ooit moet ik geruststelling krijgen van dat beeld: ben ik nog slank? Zie ik er nog goed uit? Marcel geamuseerd lachend aan mijn zijde.

Wij sporen naar Bretagne om daar een weekend door te brengen en bedrijven de liefde op een ommuurde begraafplaats waar, zo te zien, geen mens ooit meer komt, tussen hoog gras, berenklauw en verroeste kruisen. Op dat eilandje buiten de tijd eten wij perziken en vallen overmand door vermoeidheid tussen de graven in slaap ('slaap, de jongere broeder van de dood', zoals Leonardo da Vinci in zijn dagboek schreef).

Wij ontvluchten de waarheid: 'Ik hou van je, ik kan niet zonder je,' zeggen we tegen elkaar. Maar kunnen we blijven vluchten? Ik ben voor hem slechts een momentopname. En mijn liefde is zelfzuchtig, hoezeer ik dat voor mijzelf probeer te ontkennen en hoezeer ik daar ook onder lijd.

Op een avond lopen wij door de Rue de Buci tot aan het kruispunt met de Rue du Seine, als Marcel opeens opmerkt: 'Ik weet hier een leuke homotent,' met zijn hoofd taxerend schuin, alsof hij zich afvraagt of ik erg zou lijden als hij mij ontrouw zou zijn. 'Verandering van spijs doet eten, ja toch...'

Zei hij dit om mij te testen? Of had voor hem onze verhouding het verzadigingspunt bereikt? Onze relatie begon in een ander vaarwater te komen, besefte ik. Nog een wijziging in zijn gedrag bestond eruit dat hij mij steeds vaker om geld vroeg. Ik informeerde nooit waarvoor hij dat nodig had, een dergelijke ondervraging kwam mij vernederend voor. Bovendien had ik er aanvankelijk plezier in om het te kunnen geven, alsof geld ons nauwer aan elkaar kon binden en hij daardoor mijn bezit werd. Overigens scheen hij zich graag genoeg uit te leveren aan mijn edelmoedigheid en werd hij veeleisender naarmate ik mij royaler betoonde; dat ik me liet gebruiken scheen hem uit te dagen voortdurend de grenzen te verleggen. Hij werd ongedurig, humeurig, wilde 's nachts gaan dansen om daarna de hele ochtend in bed te blijven liggen. Vervolgens poogde hij het weer goed te maken en mij terug te winnen, en ik vergoelijkte veel, omdat hij jong was en ik zijn luimen wilde zien als behorend bij zijn jeugdige drang alles uit te proberen. Soms sliepen we in deprimerend sjofele hotels die naar zweet, gespild zaad en gedoofde sigaretten stonken. We liepen over trappen en gangen, gestoffeerd met rood tapijt, zo rood dat het niemand zou opvallen als er bloed over zou hebben gevloeid en zagen, wakker wordend, onze lichamen weerkaatst in bezoedelde spiegels. Ik herinner me een soort nachtasiel waarin junks en hoertjes een onderkomen hadden gezocht en waar de hele nacht door geschreeuwd werd, op onze deur gebonsd en gevochten in de gang. Ik was geshockeerd en kon geen oog dichtdoen, Marcel lachte me uit. Had hij het nodig, die prikkel van verval en decadentie?

Hij leek zichzelf en mij naar een fatale grens te drijven, het werd steeds duidelijker dat er iets noodlottigs kleefde aan ons samenzijn. Bij ogenblikken greep dat inzicht mij bij de keel, maar zodra ik van hem weg was, keerde het verterende verlangen terug.

Mijn verslaving aan Marcel vergalt de laatste zomer die ik samen met Anna en de kinderen in Seuzey doorbreng. Met nietsziende blik loop ik door de krappe woonkamer van het boerenhuis, ervoor zorgend dat ik Anna's blik of die van de kinderen niet kruis, ik maak monosyllabische opmerkingen. Elke dag ga ik naar de boulangerie en koop croissants of stokbrood om daar naar Marcel te kunnen telefoneren. 'Die zijn morgen oud,' zegt Anna als ik terugkom. 'Waarom koop je croissants als we al ontbeten hebben?' De dag daarop neem ik abrikozenvlaai mee en broodjes gevuld met chocola. De helft van de keren neemt Marcel niet op. Wanneer hij er wel is, weet ik niet wat ik moet zeggen in mijn simpele Frans, dat elke klant in de boulangerie kan verstaan. De verbinding is slecht. Verstoord door geknetter en zijn woorden daartussendoor, worstel ik met de paradoxale intimiteit van zijn stem in de hoorn.

Ik maak plannen om, al was het maar voor een dag en een nacht, naar Parijs te gaan – ik zou kunnen zeggen dat ik iets te bespreken heb met de galeriehoudster, of dat er bericht is gekomen dat een kleed van mij is aangekocht door een museum in Milaan of Berlijn. Wanneer ik van mijn telefonades terugkom vraagt Anna niets. Stilletjes loop ik naar de broodtrommel in de keuken waarin nog broodjes van gisteren liggen. Mijn familieleden kunnen niet tegen mijn telefonadedrift op eten.

Steeds meer word ik door jaloezie en argwaan bestookt. Het wordt een obsessie. Iedere keer dat we bellen groeit onze irritatie. 'Jij bederft alles wat we samen hebben,' zegt hij.

'Ik weet niet wat jij uitvoert als ik niet bij je ben.'

'Alsof ik niet jaloers kan zijn op jou. Jij hebt je gezin en je denkt er geen seconde aan dat voor mij in de steek te laten. Met die paar dagen dat jij naar Parijs komt moet ik het maar zien te doen. Als je echt van me hield, gaf je overal de brui aan en huurde je hier een atelier. Je hebt me toch verteld dat je ooit je koffer pakte en van huis wegliep om bij de buurman te gaan wonen. Toen had je nog lef, nu ben je een ingeslapen burgermannetje. Wat jij wilt is van twee walletjes eten... en mij gun je niks. Het liefst zou je mij opsluiten als een konijn in een hok – alleen wanneer jij na god weet hoe lange tijd langskomt en het deurtje openmaakt, moet dat konijn zich lief en aanhankelijk betonen. Daar bedank ik voor.'

Zo vulgair die ruzies, zo walgelijk. Ik voel een verbijsterende uitputting, zweet breekt uit vanonder mijn haarwortels.

'Als jij er de voorkeur aan geeft om met Anna te leven,' hoor ik zijn stem, 'dan spijt me dat, maar ik kan niet naar jou toe komen en met jou samenleven.'

Met iets hulpeloos voegt hij eraan toe: 'Ik ben geen huichelaar. Ik hou van je, maar...'

Ik leg mijn hand op de hoorn. Mijn tranen vallen op mijn vingers, ik vergeef hem. Vergeef hem waarvoor? Omdat hij is zoals hij is? Omdat ik ben die ik ben?

Het einde kwam toch nog abrupt. 's Ochtends in alle vroegte zouden we gaan wandelen door de Marais, het oudste deel van de Rechteroever en we hadden afgesproken op de Pont Royal. Ik was stipt om zeven uur aanwezig. Om half acht geen Marcel in zicht. Om acht uur evenmin. De huizen en de Seine trokken zich van mij terug, werden onwerkelijk en maakten plaats voor een dieper gelegen werkelijkheid die ik herkende: verlaten worden. Die verwarrende bascule die mijn bestaan in precair evenwicht had gehouden tussen mijn leven met Anna en mijn leven met Marcel, sloeg door naar één kant. Ik stond daar in het besef dat ik altijd had geweten dat dit moment zou aanbreken. Ik wilde verdwijnen, de eer aan mijzelf houden, maar een minuscuul sprankje hoop hield me aan de plek genageld.

Onze verhouding was begonnen op een brug en ging nu eindigen op een brug. Destijds opende de stad zich voor mij als een fata morgana van geluk en vrijheid en nu sloot zij zich als een mosselschelp. Half negen, niemand. Kwart voor negen, tien voor negen... Plotseling zie ik in de verte een figuurtje dat op gymschoenen op mij toe komt rennen.

Ik begin ontzettend te huilen. Hij is zo discreet geen woord te zeggen. Na enige tijd reikt hij mij een van mijn eigen rode zakdoeken. Misschien zijn wij elkaar nooit nader geweest dan op dat ogenblik, zo naakt, zonder masker op die stenen brug. Hij bekent dat hij onze afspraak vergeten was. Dat hij een nieuwe vriend heeft, jonger dan ik, een tenor bij de Opéra.

Ik ontnuchterde. Ik trok hem tegen mij aan met het gevoel een eindpunt te hebben bereikt. Ik overhandigde hem onze rode zakdoek om zijn tranen te drogen die tot mijn verbazing in zijn ogen sprongen. Maar er keerde geen gevoel in mij terug, ik zag een jongen die mijn zoon kon zijn.

Ik liep de Notre Dame binnen om afscheid te nemen van de stad en van mijn liefde. De gebrandschilderde ramen waren hoog, het licht was bleek en diffuus, de steen van de muren van een subtiel grijs. Daarbinnen was immense hoogte, wijd, eindeloos. Ik liep rond als iemand aan wie een ongeluk is overkomen en die de pijn nog niet voelt.

Maar de Notre Dame had mij niets te zeggen. Ik verlangde naar die andere Notre Dame die beter bij mijn gemoedstoestand paste, die van de Slager, ik wilde de eerste nacht herleven die ik samen met Marcel had doorgebracht. Door de lawaaiige ochtendstad die zich niets aan mij gelegen liet liggen liep ik verdoofd naar de Hallen, en zocht vertwijfeld en tevergeefs naar mijn Madonna van de spijkers. Het beeld was opgelost, verdwenen, alleen de bebloede sokkel getuigde nog van zijn vroegere aanwezigheid.

Ik splits de draden. Het is of ik zijn spieren, zijn zenuwen uit-
eenrafel. Ik trek de draad door de stof, die stof moet HEM *wor-*
den, ZIJN *vlees,* ZIJN *ogen, ik wil hem radbraken en opnieuw*
onder mijn vingers geboren doen worden, maar nu voor altijd
van mij, elke teen van mij, elk vingerkootje; ieder lichaamsdeel
roep ik in mijn herinnering op om het in mijn visioen vorm te
geven. Het doek wil evenwel geen herinnering toleren, geen
afschaduwing van de werkelijkheid. Onder mijn vingers bolt
het materiaal stug omhoog, in verzet. Tegelijk met HEM *heb ik*
mijn kleurgevoel, mijn tastzin, mijn macht over de vorm verlo-
ren. Ik kerf met de punt van mijn schaar in het nog van verf
druipende stuk stof, mijn handen rood besmeurd, ik ga het
wandkleed te lijf alsof het mijn vijand is, alsof HIJ *het is. Ik*
snijd de vorm van een hart uit het doek, dat moet een gat blij-
ven, een gat... Wijdbeens sta ik boven het op de grond liggende
kleed en werp er in het wilde weg spetters zwarte verf overheen:
dit is wat jij van mij gemaakt hebt – een gat, een leegte... Ik
laat me op de knieën zakken en val over het doek heen om mij
in furieuze wanhoop te bevredigen; mijn zaad en tranen ver-
mengen zich met de kleurstof, mijn spermatozoïden sterven in
een apotheose van kleur.

Ik verwijder elk spoor alsof ik een halsmisdaad heb begaan,
was me in de keuken en gooi mijn bevlekte overhemd in de vuil-
nisbak. Terug bij het geschonden wandkleed smeer ik er met een
grove kwast witte latex muurverf overheen. Zoals sneeuw alles

bedekt, zo gebruik ik deze witte verf om alles mee te bedekken: mijn schuld, mijn pijn, mijn liefde. Ik rol het witte kleed met het uitgesneden hart op en draag het naar de achtertuin. Ik ben alleen. Net zo alleen als toen ik als kind de mantel van kastanjes om mij heen wikkelde.

Ik spit een kuil onder de ribesstruiken bij de schutting, daar gaat dat kleed in, tussen de dooie katten en hamsters van de kinderen.

'Ook al zou je willen, je raakt me nooit kwijt,' zei Anna. 'We kunnen toch als vrienden verdergaan?'

Ik zag haar met gebogen hoofd in de weer met haar teken-krijt, mompelend dat er voor alles ruimte moest zijn, dat een mens ruimhartig moet wezen, dat er plaats is voor elke ge-moedsgesteldheid, elke geaardheid, dat juist dat het leven zo interessant maakt... dat je niet moet blijven stilstaan bij wat gebeurd is, er is immers altijd een toekomst? Anna, zo rede-lijk, zo trouw en verstandig, wel met dat vleugje ethiek dat me soms gruwelijk kon irriteren, maar soit... Anna, die ge-zegd had: 'Als deze relatie zo belangrijk voor je is, dan passen wij dat in, daar moet ruimte voor zijn.'

Wat Anna mij gaf, was zekerheid, veiligheid. De eerste tien, twaalf jaar voelde ik me daar wel bij. Later vermengde dat gevoel van welbevinden zich echter met iets dat me be-nauwde. Dat bracht een eigenaardige schizofrenie in mij te-weeg, alsof ik gewiegd werd aan een borst met voedzame melk en onderwijl snakte naar alcohol. Was ik toen ik Anna trouwde in een nieuwe val gelopen? Had ik, door voor een conventioneel levenspatroon te kiezen, de ene onvrijheid voor de andere ingeruild? Mijn heimelijke affaires met man-nen namen de vorm aan van gedroomde escapades dwars door de realiteit van een ander bestaan heen. De regelmaat van mijn huisvaderbestaan werd periodiek bedreigd. Zoals vrouwen hun maandstonden hebben, zo was ik steeds opnieuw rijp voor dwaalwegen, uitspattingen, vreemdgaan. Te-gelijkertijd greep ik altijd weer de reddingsboei, die Anna heette, op momenten dat ondergrondse stromingen mij dreigden mee te zuigen. Steeds vaker ging ik na de lessen op de Kweekschool niet meteen naar huis, maar dook ik Café de Burcht in om drie, vier borrels achterover te slaan alvo-rens als een versufte hond naar huis terug te keren. Dit is mijn leven, dacht ik, deze sleur, dit heen en weer pendelen tussen school en huisgezin. Plichtsgetrouw. Zo was ik gecon-ditioneerd door Maat.

Op het laatste olieverfschilderij dat ik ooit maakte, staan twee kegelvormige figuren afgebeeld, als ingesponnen rupsen te midden van een wirwar van zwarte draden tegen een gif-groene achtergrond. Dat is het enige werk dat ik uit mijn schildersperiode heb bewaard. Anna keek ernaar en zei: 'Dit zijn wij, ieder in zijn eigen cocon, apart en toch verbonden.'

Het begon als een verandering in mijn bloed, het had incu-batietijd nodig, net als een virus dat je onder de leden hebt, maar waar je je nog niet van bewust bent. Vervolgens brak de fase aan van de eerste symptomen, fysieke irritaties, geestelij-ke besmetting, groei naar Sartres *nausée*, de walging van wie je bent, van je bestaan en wat je ervan gemaakt hebt. Ook mijn werk schonk mij geen bevrediging. Was het materiaal mijn vijand? Of was ik het zelf? Alsof mijn vingers wat an-ders fabriceerden dan wat mij bezielde. Ik raakte ten prooi aan woedeaanvallen. Dat alles kon niet uitsluitend verklaard worden door het verlies van Marcel, eerder moest mijn epi-sode met hem het eerste symptoom van mijn ontreddering geweest zijn.
Verbeeldde ik me dat de kinderen schuw naar mij keken,

alsof ze een fantoom voorbij zagen komen? In toenemende mate voelde ik mij onzeker tegenover hen, ik kon de dagelijkse druk van verplichtingen niet langer verdragen. Mijn vermogen om van Anna en de kinderen te houden scheen te worden ondergraven. Hun aanwezigheid in mijn geest atrofieerde en werd schimmig. Ik probeerde bij ze te komen, bij het gevoel dat ik altijd voor ze had gehad, maar iets soortgelijks als de enorme zwarte kogel in Fellini's film *Prova d'Orchestra* (een film die grote indruk op mij had gemaakt) zwaaide traag en dreigend dwars door de muren van mijn bestaan. Die muren moesten geslecht, ik voelde dat ik ging exploderen uit mijn eigen huis om in een ander bestaan herboren te worden, zoals vroeger, toen ik de verdronken piloot uit zee haalde en fantaseerde dat ik hem werd, zijn identiteit aannam.

Ik woel en schreeuw in mijn slaap. Nog steeds in bed naast Anna. Ik moet me losmaken van Anna, van mijn verleden. In mijn droom wil ik mijn vader vermoorden, alsnog wil ik die gestalte in mij, dat gigantische beeld neerhalen.

Mijn gewoel en gekreun maakt Anna wakker en die haast zich op blote voeten naar de keuken om melk voor mij op te warmen – volgens haar is melk een probaat middel tegen alle mogelijke ongemak. De lucht van die opgewarmde melk alleen al maakt mij onwel, ik weer haar hand af en zij zet de beker op mijn nachttafeltje, veegt de zweetdruppels van mijn voorhoofd, hiermee de angel van mijn schuldbesef dieper in mij drijvend.

Beschaamd zeg ik: 'Ik wil niet dat je mijn depressies mee moet maken, dat ik je slaap verstoor...'

Fraai excuus om in het tuinhuisje te gaan slapen. Het tuinhuisje waarin ooit Marcel logeerde, op gepaste afstand van mijn verderfelijke aanwezigheid.

'Ik moet alleen zijn,' zeg ik tegen haar. 'Ik moet alleen zijn om mezelf vragen te stellen.'

Ik tob voort onder Anna's bezorgde blik. De kinderen ontzien me. Bevreemd kijk ik naar ze, bemerk opeens dat Lotte een jonge vrouw is geworden. Ze zijn al groot, ze kunnen best zonder mij.

Ik rook en drink, ik neuk dwangmatig links en rechts, neem alle mogelijke risico's in een soort vernietigingsdrang, alsof ik een doorbraak wil forceren. Naar wat? Een onbestemd gevoel ligt onder mijn daags bestaan, alsof er iemand op mij wacht. Mijn alter ego? Alles verloopt heftig, ik ben een slang die uit zijn huid moet kruipen.

Ik meen rechtvaardiging voor mijn gedrag te vinden in een brief die Vincent van Gogh aan zijn broer Theo schreef, nadat hij, weg van zijn familie, in de Borinage ondergedoken was geweest. 'Je begrijpt me niet,' schrijft Vincent. 'Je zegt dat ik tevreden moet zijn. Jullie zien niet dat ik een vogel ben in een kooi, jullie zeggen wees tevreden, je krijgt te eten en wij vragen er niets voor terug, behalve af en toe een beetje fluiten en je veren laten zien, maar van binnenuit zie ik de tralies die voor jullie onzichtbaar zijn.'

Die passage laat ik aan Anna lezen. Ik kijk naar haar terwijl zij leest. Enige tijd blijft zij stil. Verbeeld ik het mij of trekt het bloed weg uit haar gezicht?

'Als je dit huis, dit leven, als een kooi ervaart...' zegt ze, hulpeloos om zich heen blikkend alsof de muren, de meubels de aanstichters zijn van alle kwaad, 'ja, dan is daar geen remedie voor.'

Dit is mijn zelfportret. Deze verroeste schaar vond ik na jaren in de zandbak van mijn kinderen. Die is het symbool geworden van het afsnijden. Ik sneed mijzelf af van mijn burgerlijk bestaan, van Anna en mijn gezin, van het seksleven met mijn vriendjes. Uiteindelijk heb ik het maken van wandkleden het allerbelangrijkste gevonden en daaraan heb ik alles ondergeschikt gemaakt. De wandkleden hebben veel leugens, clichématig gedrag en ook de psychische vergroeiingen die de gevolgen waren van de onderdrukking door Maat, van mij afgenomen. Het is een zuiveringsproces geweest.

Op het kleed DE ROZENDIEF *valt de schaar die ooit aan mijn kinderen heeft toebehoord naar beneden met wijdopen bek. Die schaar heeft mijn verleden afgeknipt, opdat ik de roos zou kunnen plukken, de roos van de verbeelding. De dief knelt de roos in zijn plompe vingers, maar uit de gekerfde palm van de hand die de schaar hanteerde, vallen druppels bloed.*

~

Ik kijk naar mijn benen, die voor me uitgestrekt liggen in het ziekenhuisbed. 'Een van jullie beiden moet eraan geloven, daar gaat het mes in,' zeg ik. Een ader uit mijn been, een loop-ader, moet als hart-ader gaan dienen. Een bypass-operatie. Het menselijk lichaam is niet veel anders dan een machine, waarvan je onderdelen kunt verwisselen of vervangen. En mijn hart zal straks uit mijn borst worden gehaald en op een schaaltje gelegd, zomaar in de blote lucht, dat ouwe hart dat me zoveel bekommernis heeft bezorgd, zoveel verrukking ook. Ik ben je erkentelijk, hart, ik kan het nu nog tegen je zeggen, want of wij straks samen verder zullen gaan, staat te bezien.

Er komt een jonge ziekenbroeder binnen. 'Ik kom u scheren, meneer Schenk.' Hij slaat het dek terug en zegt: 'Goeie God, daar gaat mijn vrije avond.' (Ik ben sterk behaard.) De kroezige krulletjes, een beetje grijs nu, dansen nog altijd vrolijk over mijn tors. Terwijl hij ze met precisie onthalst, praten we. Hij heeft een kind, drie maanden oud. Hij onderbreekt zijn werk om een fotootje te laten zien: 'Hier is ie, een zoon.' *Hier is ie, een zoon.* Die klanken herinner ik me van toen mijn jongens geboren werden, volwassen mannen nu, die zelf weer kinderen hebben.

Wij praten over kinderen en ouderschap – voorbije dingen. Ik voel me alsof ik een stap terugtreed, afscheid neem. Alleen blijf ik achter, tussen de lakens, met die kaalgeslagen

149

ribbenkast: een klein ding, een blad dat van de boom valt, morgen misschien...

De zon gaat weer op, onwennig is dat. Ik krijg een prik en voel een wollige warmte door mijn aderen omhoog kruipen. Op een brancard gelegen rijd ik door de gang, dat ding slingert door de bochten, het lijkt een dans, dadelijk val ik ervan af. 'Broeder!'

De verplegers lachen en praten over een bar zus of zo, en of ze naar het strand zullen gaan. 'Wie is hier de patiënt!' roep ik luid. Verbaasd kijken ze op, naar die vorm onder het laken waar nog geluid uit komt.

'Dag dokter,' zeg ik.

Hij zoekt de ader aan de binnenkant van mijn elleboog.

Vale, dat schreef ik onder de laatste brief die ik aan Marcel stuurde. Vaarwel. Vale... een prachtig definitief woord, eenmaal gevallen, nooit meer te herroepen. 'Het is niet goed te wachten op de liefde als die liefde elders is', schreef Hundertwasser, Hundertwasser, Hundertwasser... Wolken in vele kleuren regenen neer. Moet ik vasthouden, dat beeld is misschien ergens voor te gebruiken. Vale... Alles ist vorüber... Nu ja, dat weten we zonet nog niet.

Ah, de narcotiseur heeft de ader te pakken. Een vloedgolf van slaap overspoelt me, buiten zijn oevers getreden slaap; door een zich vernauwende pupil zie ik mijzelf weglopen.

'Meneer Schenk, meneer Schenk.' Klapjes tegen mijn wangen. 'Word eens wakker.'

Ik sla mijn ogen op, stamel: 'Ach, zuster, hoe gaat het met u?' Een reflex als van een getraind hondje.

Hier ken ik het nog: de intensive care. Ik ben een oudgediende, zojuist terug van het slagveld. De cardioloog komt naar me kijken, ook al een oude bekende. Ik voel mijn mond opensplijten, hebben zij mij lachgas toegediend? Van een afstand hoor ik mijzelf iets mompelen, iets beweren over Charon, en dat er een muntje onder mijn tong gelegd moet worden voor het geval het toch nog mis zou gaan, dat de veerman mij zonder muntje niet naar de overkant zal roeien. De cardiologenwerkbrauwen schieten de hoogte in, de man ziet er opeens veel aardiger uit, maar mijn brabbelpraat wimpelt hij weg.

'Je redt het wel,' sust hij. 'Je wilt zo graag.'

Je wilt zo graag, dat zei de koorleider van het jongenskoor van de *Mattheüs* toen ik de hoge C niet meer kon halen. Ik zie me staan in mijn korte zwarte broek en paarse bloes, ik ben nog dezelfde, ik wil nog graag.

Ik steek mijn hand naar hem uit. Nee, het is geen jongeman, een gedrongen dikbuikige man van zestig, maar ik ben blij met die hand, een vaderhand, daar zit van alles aan vast. Ik denk: ik ga huilen, van geluk en van gemis.

Dan kom ik tot mijn positieven. Dit wordt te gek, besef ik, en trek mijn hand terug.

In de nacht (of is het dag? – dag en nacht vormen tussen de muren van de intensive care een Siamese tweeling) droom ik van een gigantische amaryllisbloem. Alsof ik een honingbij ben kruip ik haar kelk binnen en drink van de nectar, dan beweeg ik mijn vleugels en vlieg weg, geheel vernieuwd. Een stem zegt: kom Willem, word wakker, je moet aan het werk.

～

Ik sta graag vroeg op. De muze komt bij voorkeur in de dageraad en daarom train ik mijzelf om paraat te zijn. Ik ben dezelfde mening toegedaan als Leonardo da Vinci, die slaap verloren tijd vond. Wekkers bestonden ten tijde van zijn leven nog niet en dus had Leonardo zijn eigen alarminstallatie uitgevonden om met de slaap korte metten te maken: een vat gevuld met water, boven zijn bed opgehangen, liet de vloeistof druppelsgewijs in een lager gelegen vat lopen en als dit laatste vol was, trad er een hefboom in werking die het been van de argeloze slaper met een ruk omhoogtrok.

Mijn methode is minder rigoureus dan die van Leonardo. Nadat mijn wekker is afgelopen sta ik op om mij met koud water te wassen. De kou op mijn huid prikkelt iedere cel en geeft mij de gewaarwording dat ik optimaal in leven ben. Tegelijkertijd doet het koude water mij aan mijn moeder denken.

Ondanks alles ben ik het kind van vroeger trouw gebleven. Met een grote boog over mijn volwassenheid heen ben ik teruggekomen bij het begin, bij de allereerste sensaties: bloemen, de tuin, koud water, schone lakens. Nog altijd wanneer ik tussen de schone lakens schuif, komt dat gevoel van geborgenheid terug: naast moeder in bed liggen, met mijn vinger de rimpeltjes natrekken die zich in haar ooghoeken genesteld hebben. Dat zijn jouw zonnetjes, zeg ik, wanneer je lacht, lachen de zonnetjes.

Dat ik zo'n lange omzwerving heb moeten maken, moeder. Maar jij bent niet veranderd, dat heeft de dood tenminste voor mij gedaan: jou onveranderd laten.

Om zeven uur ben ik gereed. Er begint een nieuwe dag. Sta daar even bij stil, zeg ik tegen mijzelf.

Een appel gegeten, koffie gedronken in mijn resedagroene Willem III stoel (die ik van Anna kreeg toen ik vijftig werd). Ik leg mijn kleed op de grond en kijk naar de krijtlijnen die ik erop geschetst heb. Hoe nu verder? Er beweegt zich niets in mij, er is windstilte.

'Because these wings are no longer wings to fly / But merely vans to beat the air'. Regels van de dichter T. S. Eliot. Ik lees graag in zijn dichtbundel *Ash-Wednesday*. Ik proef de woorden op mijn tong: 'Because these wings are no longer wings to fly.' Komt er een ogenblik dat ik niet langer zal vliegen, niet meer zal kunnen scheppen?

'Jij bent net een mooi zeilschip,' zei mijn tekenleraar vroeger tegen mij, 'maar je zeilen hangen slap. Als er geen wind blaast, blijf je roerloos liggen.' Jarenlang ben ik roerloos blijven liggen, tot er een wervelwind opstak, die mij wegblies van de veilige kust, in mijn dromen zag ik Anna wuiven vanaf een verre golfbreker.

Maar vandaag blaast er geen wind. Die moet ontstaan uit een melodie, een ademtocht, uit iets dat zich roert in mijn onderbewustzijn.

Ik loop mijn tuintje in, de zon is al doende om boven de daken uit te klauteren. Vorige week snoeide ik de blauweregen, omdat die altijd zo slecht bloeit en mijn zoon gezegd heeft dat het terugsnoeien van de takken daarin verbetering kan brengen. Ik had de twijgen met mijn knipmes al ingekort, toen ik een duivennest ontdekte. Aanvankelijk was ik bang dat de duif haar nest in de steek zou laten, nu het er open en bloot voor kattenogen bij was komen te liggen. Maar nee, de duif heeft mij niet verlaten, zij zit vredig te broeden. En dat oog, naakt en wimperloos op mij gericht, wetend onwetend, een telescoop naar de niet te doorgronden mensenwereld.

Van mijn dichter heb ik geleerd stil te zitten: 'The air which is now thoroughly small and dry / Smaller and dryer than the will / Teach us to care and not to care / Teach us to sit still.' Dus zit ik stil in mijn kamer en laat mijn geest zomaar wat ronddobberen op de zee van mijn herinneringen. Gek is dat, ik heb oneindig meer herinneringen dan ik ooit nog nieuwe ervaringen zal hebben, een hele humuslaag ligt in mijn brein opgeslagen, voedsel voor de ouderdom.

Onder mijn kabinet staan de versleten rode schoentjes (die ik steevast weer op hun plaats moet zetten nadat mijn hulp geweest is), waar mijn oudste kleinkind, Monte, in liep, en na haar de kleine Tessa en Marco, die ik nu nooit meer zal zien, omdat hun moeder hen na haar scheiding van mijn zoon mee teruggenomen heeft naar haar geboorteland Australië. En weer later stapten Rosemarie en Arend erin rond, in de schoentjes bij opa. Schoentjes in de tijd. Ik kan me de voorbije voetjes daarbinnen nog indenken, ik kan de gestorven ruimte opnieuw doen leven.

Nadat ik bij Anna was weggegaan, pikte ik nog wel eens jongemannen op en vond daar troost bij. Hoe slecht is het om liefde te kopen, hoe slecht die te verkopen? 'Welke purperen momenten kunnen wij nog stelen van dat grijze traag bewegende ding dat wij TIJD noemen?' zei Oscar Wilde.

Die laatste purperen momenten heb ik tenminste genoten en heb daar geen spijt van, maar gaandeweg werd mijn libido geringer. Mijn narcisme, dat zo'n dwingende drijfveer was geweest voor mijn erotische avonturen, kon moeilijk meer gevoed worden door het beeld van de oude man die ik nu geworden ben. Bevestiging zoeken van mijn eigen charmes, mijn onweerstaanbaarheid weerspiegeld zien in de ogen van mannen die mij begeerden, dat alles is verleden tijd geworden.

Ik heb nu vrede met mijzelf. Misschien zou ik gewild hebben dat seks niet bestond, die had alleen maar verwarring gegeven.

Hier, in mijn vissershuisje in Scheveningen, heb ik mijzelf gevonden. Ik hoefde geen rol meer te spelen, niets te bewijzen, nergens meer bij te horen. Ik heb alle tijd voor een dialoog met mijzelf. De hele rommelzolder van mijn ziel heb ik opgeruimd en wat er over is gebleven zijn mijn wandkleden. Die hebben uiteindelijk mijn bestaansangst van mij weggenomen.

Anna koesterde geen wrok, en we pakten de onverwoestbare draad van onze vriendschap weer op. Wij gingen met vakantie en zwierven door Spanje, zij achter het stuur. Ik kan niet meer chaufferen, zonder haar kan ik niet op reis. Bloemendaal of Bussum vind ik al te ver. Zij bestudeert de wegenkaart en reserveert onderdak in landelijke hotelletjes. Wij determineren Spaanse bloemen, zoals we dat vroeger deden in de duinen.

Kleine lichamelijke dingen kan ik nog doen. Ik stap op de fiets om naar de Frederik Hendriklaan te rijden, hooguit zes minuten gaans, en daar ga ik op het bankje zitten tegenover boekhandel Paagman om uit te rusten en kijk ik naar de voorbijgangers, al die mensen met hun verlangens en hun ontgoochelingen. Illusies, illusies, denk ik, en al die zielen die altijd opnieuw gekneed worden. Maar sommige zielen blijven platte koeken, daar gebeurt niets mee, andere rijzen in de hitte van het vuur. Ik voel de hitte van mijn vuur nog smeulen in mijn binnenste en soms schiet daar weer een vlam uit op en kan ik aan het werk gaan.

Op dat bankje bij Paagman houd ik audiëntie. Ik ontvang daar mijn kleinzoon, mijn schoondochter of vrienden van vroeger. Kom zaterdagochtend naar het bankje bij Paagman, zeg ik, en dan kijk ik uit tussen de zonnevlekken en de winkelende mensen naar een bekend gezicht dat zich opeens uit het gewemel losmaakt.

En ik heb daar een uitstekende groenteman, waar ik vruchten haal en verse groenten en dan wieler ik weer op de fiets terug naar huis.

'Goedemorgen dokter,' zeg ik tegen mijn cardioloog. 'Hoe gaat het met mijn bypass? Of wordt het een goodbye-pass?'

'Voorlopig niet,' zegt de dokter. 'Maar het hart heeft een lekkende klep en lijdt aan ritmestoornissen, bovendien bevindt er zich een weke plek in de slagader, een uitstulping, zoals je die wel hebt in de oude binnenband van een fiets.'

'Ik wil proberen mijn tachtigste verjaardag te halen, ik zou dan graag een overzichtstentoonstelling van mijn werk houden in de grote zaal van Pulchri.'

'We zullen ons best doen. We kunnen het hart in een lagere versnelling zetten, zodat het trager klopt en minder slijt. U zult daardoor sneller buiten adem raken. U zult het koud hebben.'

'Dat heb ik ervoor over.'

'U zult voorzichtig moeten zijn met het bedrijven van seks...'

Ik lach spottend. Wat betekent seks nog? Een enkel

droomdrupje tussen de lakens. Bijna tachtig jaar, twintig kilo lichter, een zak met vogelbotjes. Je moet realistisch zijn. Af en toe worden mijn zinnen nog wel geprikkeld door een jeugdig gezicht, een mooi jongenslijf, maar de bij zoekt geen verdorde bloem. Ik ben nu de verdorde bloem.

Alles wat ik nu maak wordt geringer van afmetingen (de car-
dioloog heeft me afgeraden grote kleden te maken), geconcen-
treerder ook, alsof al mijn energie als een lichtstraal door een
loep op het brandpunt wordt gericht.

DROGE BEDDING *noem ik dit doek. Enkele rietstengels ste-*
ken als speren omhoog uit een droge rivierbedding waarin een
rondgeslepen steen ligt en een slijpseltje blauw van water is ach-
tergebleven.

Vertegenwoordigt die steen de essentie van mijn wezen? Is dit
wat rest als het stromen is opgehouden en er enkel stilte overblijft
tussen de droge rietstengels?

En roei jij die steen naar de overkant, Charon? Maar jou
krijg ik niet te zien. Jij hebt geen gezicht, of het moet zijn dat ik
jouw gezicht in mezelf moet zoeken.

Ik maak een spiegel. Op zoek naar mezelf heb ik in zoveel spie-
gels gekeken, maar deze kaatst geen beeld terug, het is een blinde
spiegel, in zichzelf gekeerd. Ik heb de blinde spiegel gemaakt van
de bodem van een olieblik dat ik op het strand vond en die heb
ik vastgehecht tussen blauwe restanten van een visnet, op een
witgekalkt fond. Wit is leegte, leegte die ingevuld moet worden,
wit is ruimte. De binnenstebuiten gekeerde spiegel, de spiegel die
naar binnen kijkt, heb ik met doorzichtige schellak bestreken. Is
dit het spiegelbeeld van de onkenbare Charon? Van mijzelf?

~

Gisteren was het mijn trouwdag. Negenenveertig jaar geleden huwde ik Anna in de Doopsgezinde Kerk. Zij gekleed in
een mantelpakje, eigengereid stalen brilletje op de neus en
een boeket witte rozen in de arm, en ik in een confectiepak
met een bescheiden krijtstreepje, zo'n pak waar je naderhand
nog plezier van kon hebben.

In de vroege ochtend heb ik een boeket van negenenveertig witte rozen laten bezorgen op ons oude adres in de
Goudsbloemlaan, waar zij al vele jaren alleen de nachten
doorbrengt, mijn bejaarde, verlaten bruid.

Aangezien het een verrukkelijke zomerdag was, besloten
wij naar restaurant Turpin aan de boulevard in Kijkduin te
gaan om onze trouwdag te vieren. Turpin is een eetgelegen-
heid die ik mij nog herinner uit de tijd dat wij beiden jong
waren. Toen lag het restaurant moederziel alleen op de duin-
rand boven het strand, nu is er een complete badplaats omheen gebouwd. De hele winter ben ik niet aan zee geweest
en daarom besluiten wij op het terras te gaan zitten om de
zon boven de watermassa naar de horizon te zien zinken. Wij
installeren ons en ik regel mijn gehoorapparaat om Anna
beter te kunnen verstaan te midden van het stemgeluid van
de zomergasten. Ik kijk naar haar. Zij ziet er fris en jeugdig
uit, je zou niet zeggen dat ook zij de zeventig ruimschoots is
gepasseerd. Zij moet een goede kapper hebben, want haar
haar lijkt natuurlijk blond. Het stalen brilletje is verdwenen.

Draagt zij contactlenzen? Ik heb het haar nooit gevraagd.

Bewonderend kijk ik haar aan, ik zeg: 'Als jij er niet was geweest, was ik waarschijnlijk in de goot terechtgekomen.'

Mogelijk heb ik die uitspraak al eerder gedaan, maar op onze leeftijd is een trouwdag de geëigende gelegenheid voor dit soort eindconclusies.

Zij lacht een tikkeltje ironisch: 'Ik ben dus je schutsengel geweest?'

Ik probeer haar hand te pakken, maar zij trekt die terug.

'Jij bent altijd een edelmoedige vrouw geweest. Jij hebt zoveel van mij getolereerd.'

'Zo kun je erover denken,' antwoordt zij bedachtzaam. 'Ik zie het meer als een poging tot zelfbehoud... Jaloezie is een dodelijk gif.'

Ik reageer verbaasd. 'Zei je daarom dat er voor mijn escapades ruimte moest zijn? Zei je niet met zoveel woorden: ga je gang maar, ons huwelijk is sterk genoeg? Meende je dat het geen averij kon oplopen?'

'Ik heb nooit gedacht dat die escapades van jou ons huwelijk niet konden schaden, het was eerder een kwestie van...'

'Van angst?' vraag ik.

'Trots. Het was trots.'

De felheid waarmee zij dat woord uitspreekt treft me. Ik bied weerstand aan de druk van haar volhardende blik.

'Dacht je dat ik zo graag bij een man wou blijven die iemand anders wilde?'

Dat klinkt in mijn hoofd als woorden van vroeger, woorden die een Anna van langgeleden uitsprak — een gepasseerd station.

'Nee,' vervolgt ze, 'ik was te trots om een afgang te erkennen. Ik wilde onze relatie tot een goed einde brengen, met waardigheid.'

'Met waardigheid,' geef ik ten antwoord. 'Ja, dat heb jij altijd gekund: ergens boven staan. Jij bent zo superieur.'

Wil ik haar alsnog kwetsen? Heb ik altijd het gevoel gehad haar niet te kunnen bereiken omdat ik meende haar niet te kunnen kwetsen?

Zij kijkt mij met kwaaie, blauwe ogen aan: 'Goed. Superieur, als jij dat zo voelt.'

In mijn wiek geschoten staar ik naar de zeilboten en de laatste zwemmers in de avondzee, die vol scherfjes zonlicht aan onze voeten ligt. Wat een onmogelijk gesprek zolang na dato. Waarom ouwe koeien uit de sloot halen?

Haar ogen hebben mij losgelaten, zij kijkt neer op haar handen. Zegt: 'Dat jij tóch van mij bent weggegaan, dat heeft me toen veel verdriet gedaan.'

Anna, klein meisje van dertien, samen met mij op de tekenles van Bert en Mien Koppenhagen... Anna was, nee, Anna ís er altijd. Vorige week nog kwam zij met een koelkast in haar auto aangereden, een verovering, tweedehands op de Binckhorst op de kop getikt, omdat de mijne stuk was. Stralend. Ik voel me verward, ik tast over de tafel opnieuw naar haar hand en nu laat ze die vastpakken. 'Anna, het spijt me, ik ben dikwijls een ellendeling geweest, een egoïst. Ik heb je zo vaak tekort gedaan...'

Met een blik in de menukaart zegt ze: 'Maak jezelf geen verwijten.'

'We hebben samen toch prachtige kinderen gekregen?' probeer ik, draaiend aan het knopje van mijn gehoorapparaat om vooral niets van haar antwoord te hoeven missen (een oude man op een wrede zomerdag, in onverhoedse woordenstrijd gewikkeld met zijn ex).

Een onverwacht antwoord geeft ze: 'Met een andere man had ik ook prachtige kinderen kunnen krijgen.'

'Maar het waren niet déze kinderen geworden,' roep ik uit, gepikeerd door haar onachterhaalbare mogelijke gevoelens van ontrouw.

Ze wijst met haar wijsvinger op de menukaart: 'Ik heb trek in mosselen.'

Wanneer ze opkijkt, lacht ze: 'Wees gerust, jij bent de eerste en de enige geweest, vanaf dat ik dertien jaar was. Toen ik je zag wist ik: dat is hem.'

'Daar moeten we champagne op drinken,' roep ik uit en wenk de ober met een grootscheeps gebaar (even weer een man van de wereld).

Ik dronk een glas champagne en daarna nog een, milde zeewind aaide mijn wangen. Ik trok mijn jasje uit. Voor het eerst voelde ik me weer warm sedert de dokter mijn hart in een lagere versnelling had gezet. Vervolgens aten we mosselen met frites, besproeid met witte wijn.

Plotseling zag ik de zee in een diagonaal omhoogkomen en van de ene kant naar de andere schommelen, en zonder dat ik het kon verhelpen komt, hup, alles eruit. Ik hield keurig mijn servet voor mijn mond en overhandigde dat aan de toegesnelde ober. Blikken rondom van de eters op het terras, en die zee bleef maar schommelen. Ik kon niet lopen en viel tegen de grond. Ik wilde naar huis gebracht worden, maar Anna moest haar auto halen van een hele afstand, want het was vakantietijd en overal was het stampvol toeristen. Voor Turpin mocht je niet parkeren, alleen leveranciers mogen dat, de boulevard is uitsluitend voor wandelaars. Er moest zo'n parkeerpaaltje uit. Eerst diende de sleutel daarvan gehaald en toen hebben ze mij in die auto gesleept. Mensen keken en maakten woedende gebaren en balden vuisten: DIT IS ALLEEN VOOR WANDELAARS. Opnieuw kotste ik alles onder. Witte rozen, dacht ik, en de zee ging helemaal uit balans.

Ik had de jurk van Marlene Dietrich aan. Mensen staarden naar mij vanaf de boulevard en Dietrich hield een glas vast, daaruit schonk ze wijn en door het schokken van de auto morste zij op haar jurk. Ik herinner mij dat de wijn de bloemen kleurden op haar jurk, nee, zo was het niet, de wijnvlekken vormden nieuwe bloemen, alsof er twee landschappen door elkaar heen op die jurk verschenen. Ik weet niet wat er daarna met Dietrich gebeurde — of was het een film, waarin ik de hoofdrol speelde? Ik ging staan. Dietrich werd als spionne voor een vuurpeloton doodgeschoten. Ze liet zich uit de auto vallen en ik zou ook gevallen zijn, wanneer niet iemand mij op het laatste moment had beetgepakt bij de wijnbloemenjurk en mij had teruggeduwd de auto in.

Toen gaf Anna mij een klap in mijn gezicht. Ik kwam tot mijn positieven, staarde haar aan en mompelde een verontschuldiging omdat onze trouwdag de mist in was gegaan.

Anna zei: 'Dit is precies de trouwdag die ons past.'

~

Ik zie mezelf, een oude man met zijn broekspijpen opgerold tegen het opspattend schuim. Ik hield altijd van de kou van water, de bijtende streling die de cellen wakker schudt; de cellen seinen naar elkaar: er zit nog leven in.

Droom ik? Nee, ik voel duidelijk de scherpte van gebroken schelpen onder mijn voetzolen en ik zie strandpleviertjes op hun rode poten voor mij uit rennen langs de vloedlijn, er komt zo'n rothondje aan die ze opjaagt. Er is niemand, in de nevelige verte enkel een zwart silhouet, onmogelijk te zien of het van een vrouw of man is.

Het zeewier slingert zich rond mijn enkels, schelpen en steentjes bewegen mee op de ebbeweging, maken geluid als kinderen die knarsetanden in hun slaap... Mijn bleke benige voeten hebben mij een leven lang gedragen, ze liepen met mij door Montparnasse, schuifelden met mij de Notre Dame binnen en bedwongen de luidheid van hun stap zoals het hoorde. Waar ben ik nu aangeland? Waar alle liefdes eindigen, waar alle kwelling eindigt van onvervulde liefde? Naar het einde van de eindigende reis? Op die voeten, die op de stoof stonden van het kind dat voor moeder en haar vriendinnen op haar jour een liedje zong: 'Frère Jacques, dormez-vous?' Kleine voeten, oude voeten, en daartussen...

Ik staar naar de golven, de geweldenaren die zich nederig voor mij neerleggen en aan mijn tenen knabbelen met die prikkelende beet van ze.

164

Afdrukken in het zand, ik kijk achterom, volg het spoor terug, van mijn oudemannenvoeten, weinig vlees er meer aan, wit van het ziekenhuisbed waarin ze de tijd zoekbrachten, van jonge voeten, krachtige exemplaren die hun stempel diep in het zand drukten, voeten van een hardloper die de vlam kwam brengen van de Olympus, maar onderweg verdwaalde (de vlam is er nog, nietig binnen de palm van mijn hand), minnaarsvoeten die veelvuldiger lagen te spelen dan dat ze liepen, kindervoeten, terug, terug naar het huis met de zeven geitjes, voordat de wolf kwam en de moeder meenam. Ik zwerf in de schemer door nauwe straten en kijk naar de blauwe rook van sigaretten van allenige mannen in hemdsmouwen, die uit de ramen hangen. Schuin uit mijn ogen kijk ik naar ze, een suggestie van een glimlach rond mijn lippen. Ik zie hoe zij hun blik focussen, ze roepen iets, gewoon iets joviaals of obsceens, ik loop door die grauwe straat en breng iets teweeg, een vleug opwinding.

Ik hoor de golven wegsterven in hun val, gesmoord in het zand, maar achter hen komen er nieuwe met de borst macho geheven en gehelmd met schuimkoppen, geen besef dat hun einde nabij is in een flauw geknister op het ebstrand. En ik zit hier, ik ben ook een flinterdun laatste golfje dat naar zijn einde rolt.

Mijn oren zijn doof, ik heb mijn gehoorapparaat niet in, binnen mijn schedel vermengt zich het geruis in mijn oren met dat van de golven, maar in dat laatste, zo komt het mij voor, klinkt een ijle toon, zoals ik ooit hoorde toen ik jong was en meende dat de zeemeerminnen met hun haren van schuim voor mij hun verleidelijk lied zongen. Ook nu proberen zij mij te verleiden, die vermaledijde zeemeerminnen. Kom bij ons, zingen ze, waarom zou je nog talmen, koppige oude?

Ik beweeg mijn voeten door de exquise kou. Zelf ben ik ook koud sedert de heren medici het ritme van mijn hart vertraagd hebben opdat het nog luttele tijd kan blijven pompen. Mijn rare hart met een lek in de klep, mijn hart met de twee helften, vrouwelijke en mannelijke helft. Het wordt niet veel meer met mij, daar kun je vergif op innemen, lieve zeemeerminnen.

Mijn gehoor mag dan niet meer zo best zijn, mijn reukorgaan is nog uitnemend. Ik ruik jullie zilte odeur, die van zeepokken en krabben, van teer en van touw. Toen ik klein was snuffelde ik met mijn neus aan mijn vaders huid, hij bracht iets van jullie mee dat nooit kon worden weggewassen. Hij had een zeemansgraf verdiend, die eenzame kapitein. Maar nee, jullie wilden hem niet hebben. En mij?

Ik kijk naar mijn handen met gebroken nagels en resten kleurstof in de naden van de palmen. Ik draai mijn rug naar de zee en keer mijn gezicht landinwaarts. Ik zet een stap. Mijn blik dwaalt over het schelpenstrand, misschien ligt er iets van mijn gading, een flard visnet, wrakhout of aangespoeld pokdalig blik, iets om te verwerken in mijn wandkleed, je weet maar nooit.